スキルマッチング型
複業
副業
の実践書

日本能率協会マネジメントセンター

「ふくぎょう」と聞いて、何を思い浮かべますか？

今、あなたはきっと「ふくぎょう」をはじめようと気持ちを固め、
まさに1歩目を踏み出そうとしていることでしょう。

もしくは、「ふくぎょう」という働き方に興味を持ち、
情報収集をはじめようとしているタイミングかもしれません。

「ふくぎょう」といえば、副業、複業、兼業など
さまざまな意味や言葉が存在しています。

この「ふくぎょう」を本書では「複業」と表記し、
あなたが得意とするスキルと、企業や団体・行政などが求めるスキルでマッチングする、

または、あなたが本格的に習得したいスキルと、そのポジションを求める企業でマッチングするスキルマッチング型の働き方をご紹介します。

また、複業の価値は「金銭報酬」を得ることだけではありません、

新しいスキルを得るための「スキル報酬」
キャリアアップのための「キャリア報酬」
自己実現や恩返しのための「感情報酬」
など目的によってさまざまです。

「本業も含めた複数の居場所で、複数の目的を達成するために行う仕事」
それこそが複業なのです。

はじめに

私は株式会社Another worksというベンチャー企業の代表を務める大林尚朝（おおばやし・なおとも）と申します。複業先を探す個人と複業人材を採用したい企業や自治体をＷＥＢ上でマッチングするプラットフォーム「複業クラウド」を運営しています。おかげ様で、創業４年で１，０００社以上、５万人以上の利用を誇る規模まで成長することができました。

本当に多くの皆様にサービスをご利用いただく中で、さまざまな動機で複業にチャレンジしている方々との出会いがありました。例えば、心機一転何かに挑戦したい、将来への漠然とした不安を解消したい、スキルアップしたい、座学で学んだことをアウトプットしたい、副収入を得たい、市場価値を高めたい、起業や転職をする前に自信をつけたい、周りがはじめたから自分もはじめたい、オンライン環境下での孤独を解消したい、所属するコミュニティを増やしたいなど、複業に挑戦する人の数だけ、複業の目的があります。

中でも、皆様が第一想起をする複業の目的は、「金銭報酬」を得ることではないでしょうか。家や車など欲しいものを買うため、家族や恋人にプレゼントをするため、将来に備えて貯金をするためなど、副収入を目的として複業をはじめるケースです。

しかし、複業の目的は「金銭報酬」を得ることだけではありません。例えば、本業で活かせるような自身の能力向上や新たなスキル習得を目的とした「スキル報酬」の獲得、自身の市場価値を高める異業種や異職種での実績作りを目的とした「キャリア報酬」の獲得、思い入れのある地域やモノ・コトに寄与したり、趣味思考に合った分野に携わったりすることを目的とした「感情報酬」の獲得など、複業をする目的は本当にさまざまあります。

断言できることは、複業という働き方は何かに挑戦したいと思ったときに大きく環境を変えることなく挑戦できる最高のチケットであるということです。あなたも例外なく、誰もがそのチケットを手にすることができます。

しかし、複業には落とし穴があります。しかも、複業をはじめるその1歩目からです。複業をはじめる人が全員成功できるとは限りません。上手くいっているケースは本書で説明する方法ではじめているか、偶然上手くいっているか、そのどちらかでしょう。

動機は何にせよ、複業は「はじめ方」が重要です。

いざ複業をはじめるとき、その1歩目を踏み外すか、綺麗に着地するか。

あなたはどちらを選びますか？

複業は、はじめ方を間違えれば、自分に合った複業先に出会うことができません。やり方を間違えれば、本業にも迷惑がかかってしまう危険すら帯びています。考え方を間違えれば、自身の複業の選択肢が非常に少なくなってしまいます。

では1歩目をどのように踏み出し、綺麗に着地するのか、そしてそこからどう2歩目、3歩目と歩みを進めていけばよいか。本書を通じて、複業をはじめるときに大事な5つのことを知り、ぜひ、実践していただきたいです。

また、本書は複業をはじめるためだけの実践書では終わりません。複業は、最初の1歩目を踏み出すだけでなく、継続し目的を達成しなくては意味がありません。そこで、複業を成功させるために欠かせない具体的なノウハウ、複業の見つけ方や実際の複業事例などすべてを網羅した1冊にまとめました。

新型コロナウイルスの感染拡大を契機に従来のオフライン（対面）が基本の社会から、オンラインを有効的に活用したハイブリッドな社会への変革が起こり（余儀なくされ）、我々の生活やキャリアの周辺環境はここ数年で180度変わりました。個人の働く環境も、リモートワークという選択肢が生まれたことで、時間の使い方に関する価値観が変容し、個人の可処分時間が最大化され、時間をどう有効的に使うのか、そして余剰時間を何に投資するのか、そして、複業という働き方へ関心が高まっています。

また、1人が1社で勤め上げる終身雇用を前提としたメンバーシップ型雇用から、職務

（ジョブ）にマッチしたスキルや経験を有する人材を採用するジョブ型雇用に移行されはじめるなど、日本の雇用システムの前提すら崩壊しつつあります。より多様で自由な働き方を推奨する時代背景からも、究極のジョブ型雇用である「複業」は注目されているのです。

さあ、これから複業の第1歩目を踏み出すための準備がはじまります。本書を手に取ったあなたは、これからの複業ライフにワクワクしながらも、少なからず緊張や不安を抱えているのではないでしょうか。

持論ですが、緊張や不安は「経験不足」「準備不足」から陥る感情だと考えています。初めてのことは誰しも緊張し、不安です。「経験不足」は1歩踏み出してみないことには解決しようがありません。「準備不足」についても、何を準備すればよいのか知らない限り、準備のしようもないでしょう。

そこで複業をはじめるための知見や経験を惜しみなく本書に書き残しています。複業をはじめるためのノウハウを得ることで準備不足を解消し、実際の経験談や踏むべきではない落とし穴を事前に知ることで経験不足からくる不安も少しは和らぐことでしょう。まずは第1章から読みはじめ、素晴らしい複業ライフ、そして、素敵な人生を送るための準備をしていきましょう。

株式会社 Another works
代表取締役　大林尚朝

CONTENTS

4 複業時間割を設計する

第2章 複業で挑戦できる職種9選

第3章 複業の目的から環境を選ぶ

第5章　複業からはじまる次の挑戦

第 1 章

複業をはじめるときに大事な5つのこと

複業をはじめるときに大事な5つのこと

1 複業の目的、目標を決める

2 自分にスキルのハッシュタグをつける

3 本業の就業規則やルールを確認する

4 複業時間割を設計する

5 複業先を複数の方法で探す

1 複業の目的、目標を決める

複業をはじめるときに一番重要なこと

あなたは、なぜ複業をはじめたいと思っていますか？

複業をはじめるときに最も重要なことは「**複業の目的、目標を決める**」ことです。もし先ほどの質問に答えられなかったとしても、複業をはじめることに対して不安になる必要はありません。

本書を読み終わったとき、再度この問いに戻ってきてください。そのときにはきっと複業の目的、目標が解像度高く設定されており、明確に答えることができるようになっているでしょう。

目的がない複業は失敗する

そもそもなぜ目的や目標を決めることが重要なのか。それは複業に限ったことではなくビジネス全般やプライベートでも同様の考えです。

例えば、仕事においてMVPなどの受賞や昇給・昇格を目的に、毎月決められた業績の達成やタスクの完遂を目標にして日々努力している人は多いでしょう。プライベートにおいても理想の自分になることを目的に、体重やスタイルを目標に設定することで、トレーニングや食事管理などの指標となります。

目的という理想を描き、現実とのギャップを埋めるために目標という指標を設定することで、人は努力し続けることができるのです。

目的は理想イメージを脳内に鮮明に映し出し、目標は目的を達成するために必要なステップをなるべく数値化し、定量的な指標を持つことが望ましいです。複業を通じて何を得たいのか、複業でなければ手に入れることができないものは何か、目的や目標を「複業」という切り口で具体的に、そして解像度高く描きましょう。

複業の目的、目標を決める

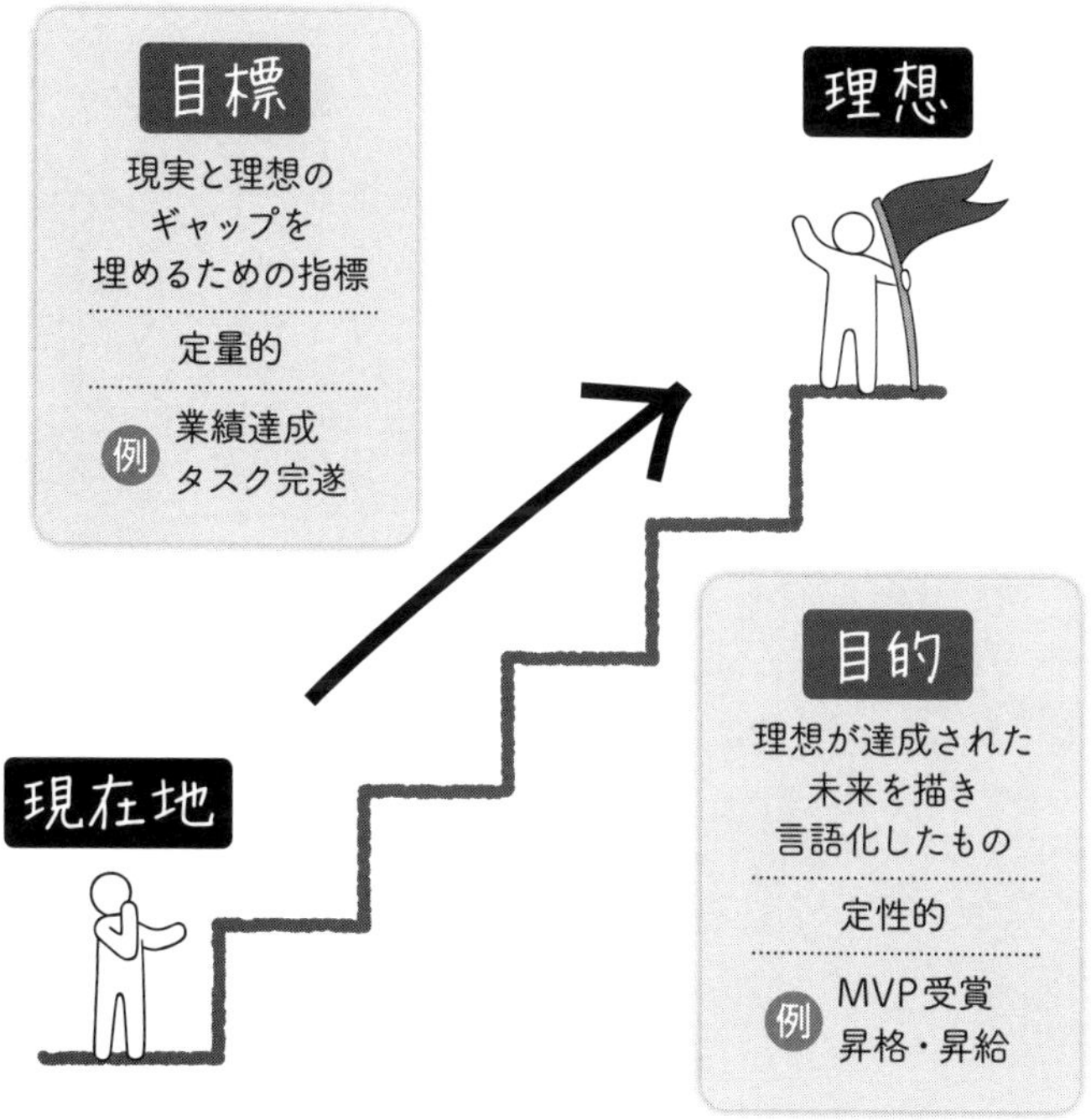

複業の報酬は、金銭だけではない

複業をはじめるときに、最初に決めるべきことは目的の設定です。目的がなければ、マイルストーンとなる目標を設定することができません。

実際に複業をする中でモチベーションをキープし、本業でも複業でも努力し続けることができる人は、常に立ち返ることができる明確な目的がある人です。まさに「初心忘るべからず」です。

では早速、複業の目的を設定していきましょう。

複業の目的設定は複業の「報酬」の整理から始まります。では質問です。複業を通じてあなたはどんな報酬を得たいですか？　きっと頭の中で「お金」つまり「金銭報酬」を想像したのではないでしょうか。多くの人がこの金銭報酬を目的に複業をスタートしていきます。始めやすく、明確で、わかりやすい報酬です。

例えば、家や車など欲しいものを買うために複業でお金を貯めたり、家族や恋人にプレゼントをするために複業をはじめたり、将来に備えて貯金をするために複業をしたりすることは、明確な目的となります。

しかし、複業によって得ることができる報酬は金銭報酬だけではありません。**複業における報酬は大きく分けて「金銭報酬」と「非金銭報酬」の2種類です。**「非金銭報酬」という言葉を初めて聞く人も多いのではないでしょうか。この2つの違いは、複業を通じてマネタイズすることを求めるか、お金以外のスキルやキャリア、感情など目に見えない報酬を求めるか、です。

では、この2つの「報酬」について、さまざまな職種や状況を想定した事例付きで解説をしていきます。何のために複業をするのか、本書を参考にしながら、選択していきましょう。

金銭報酬を目的とした複業

なぜ「副収入」が必要か

まずは「金銭報酬」について解説します。複業における金銭報酬は文字通り「副収入」を指します。エンジニアが複業でコーディングをして金銭を得たり、ライターが文字数や記事数に応じて金銭を得たりするイメージしやすい報酬です。世の中の複業においては金銭報酬を前提とした求人が最も多くなっています。

では、**なぜ副収入が必要か**、実は金銭報酬を目的とする複業の場合、この問いが最も重要になってきます。複業に人生の時間を費やしてまで「なぜ副収入が必要なのか」という問いに対して明確に答えを言語化できているでしょうか。

例えば、本業での収入に不満がある場合は、必ずしも複業で副収入を得る必要はなく、より高い収入を求めて転職するという選択肢もあります。一方で、結婚式を開くために一定期間だけ副収入が必要な場合は「複業」という方法で副収入を得たいと考えることもあるでしょう。

つまり、なぜ複業という手段で副収入を得る必要性があるのか、明確に目的を言語化することが必要です。より具体的に、かつ納得のいくまでとことん自分と対話し、向き合ってみましょう。

理想の収益ポートフォリオを設計する

金銭報酬を得たい目的が言語化できた次のステップは、目標の設定です。オススメする目標設定の方法は「期限」と「目標金額」を設定し、理想の収益ポートフォリオを作成することです。一見、当たり前のことを言っているようですが、意外と複業で実践している人は少ないです。

考え方は非常にシンプルです。複業の目的を達成するために、いつまでに、どのくらいの副収入が必要か、目標を数値化し、目的を達成するための期間として妥当性があるのか確かめましょう。目標を定量的に可視化することでゴールが明確になり、複業へのモチベーションアップにも繋がると同時に、モチベーションがさがったときに立ち返ることができる初心や、今の現在地を知ることができる地図にもなります。このポートフォリオを、携帯電話やPCの待ち受けなど常に見える状態に設定することも高いモチベーションで複業を続けるポイントです。

では、収益ポートフォリオを作成するにあたり具体例を3つ紹介します。前提としては、会社員で金銭報酬を目的に複業をするケースとなります。複業をはじめるときの動機などかなりリアリティのある事例ですので、自分の身に当てはめてイメージを膨らませて考えてみてください。複業の目的を明確にする上で参考になれば幸いです。

Aさん（IT企業に勤務する営業職の男性）の事例

Aさんは都内のIT企業で営業職に従事しています。営業成績は悪くないものの、会社の人事評価制度上、昇給の幅が少なく、昇給のタイミングの度に不満を感じています。しかし、働く環境や取り扱う商材が好きなため転職はしたくないと考えています。

Aさんの夢は憧れの車を購入することです。マイカーの購入のためには今の収入では心もとなく、大幅な昇給が見込めない今の会社では貯金を増やすことがかなり難しいと感じています。Aさんの家賃は10万円で、生活費や交際費など生活レベルは維持したいと考え

Aさんの事例
（IT企業に勤務する営業職の男性）

Aさん
都内IT企業営業職

目的
夢のマイカー購入のために
本業と複業での
合算年収を最大化する

目標
1年以内に120万円を
複業で収益化する

ています。

Aさんの勤務先はリモートワークが解禁になりました。Aさんは現在も週に3日、リモートワークを続けています。そのため、毎日往復2時間かけて通勤していた時間が浮くようになり、複業にも興味を持っていた中で、勤務先が複業を許可することになりました。

Aさんは複業をはじめようと思い立ち、目的と目標を設定しました。

複業の目的は「夢のマイカー購入のために本業と複業での合算年収を最大化する」です。目標は「マイカー購入資金のために1年以内に120万円を複業で収益化する」に設定し、具体的なプランを計画しました。

目標を達成するためには副収入が月10万円必要でした。一方で、本業も忙しく、責任感が強いAさんは1社から多くの金額を受け取ることがプレッシャーになると自己分析の上判断し、月5万円の複業を2社で行いたいと考えました。

まずAさんは知り合いの経営者に連絡し、営業で困っていることや人手が足りていない部分はないかを聞きながら自分が貢献できることを伝え、無事にまずは1社で、月5万円の複業がスタートしました。知り合いの経営者も月5万円で実際の営業現場での経験が豊富なAさんに手伝ってもらえることは渡りに船で大変喜んでいました。1ヶ月後にその経営者からの紹介で同じ課題を持つ経営者と知り合い、2社目の複業を無事にはじめることができました。

Bさん（大手製造業に勤務する事務職の女性）の事例

Bさんは都内の大手製造業で事務職に従事しています。職場環境、人間関係は非常に良好ですが、新型コロナウイルス蔓延の影響で会社の業績悪化がニュースやテレビ、新聞で頻繁に流れるようになり、1社に所属し続けることや今の会社に居続ける将来に漠然とした不安を抱くようになりました。

昨年結婚したBさんは、将来的な家事・育児などを想定し、自分のライフスタイルに合わせた働き方をしたいと思っており、その上で金銭的に余裕のある生活をしたいと漠然と考えていました。結婚をしているBさんの世帯年収は800万円で、今の職場や仕事は好きなため転職は現在考えていません。

そこで将来に備えて今の世帯年収をキープし、将来の子育て費用の貯蓄をするために、複業という選択肢に至りました。すぐに会社の就業規定を確認すると業務時間外のプライベートの時間で行う複業は認められていました。

複業の目的は「世帯年収の現状キープと将来への備え」に設定し、目標は漠然と「今の月収の半分を複業で補填すること」としていましたが、周囲に将来のことを相談しながら、期限を1年半後に設定し、「1年半後に本業と複業の合算月収を1・5倍にすること」と細かく言語化していきました。

ただ、複業をはじめるにあたって何が自分の強みなのか分からなかったため、実際の求人を見ながら自己分析をするところからはじめることにしました。

Bさんは自己分析をする中で、自分の得意なことが業務で普段行っている製造業のP／LやB／Sからコストを計算することで、利益の最大化に貢献できるスキルであると発見しました。強みを見つけたBさんはすぐに複業のマッチングプラットフォームに登録し、本業とは全く異なる商材を扱っている製造業と出会い、複業をはじめることができました。

複業にも慣れてきた頃に他に登録しておいた複業マッチングプラットフォームを通じてITベンチャー企業の経営者から声がかかり、中期経営計画を作成するお手伝いをしてほしいとオファーがありました。

Bさんは今までの経験がIT業界という異業種かつ企業規模も異なるベンチャー企業で活かせると知り、汎用性のある実績を作ることができたと同時に、会社の肩書を外しても

Bさんの事例
（大手製造業に勤務する事務職の女性）

Bさん
大手製造企業事務職

目的
世帯年収の現状キープと
将来への備え

目標
1年半後に
本業と複業の合算月収を
1.5倍にする

活躍できるという圧倒的な自信につながりました。

Cさん（人材派遣会社に勤務する管理職の男性）の事例

Cさんは都内の人材派遣会社で管理職として勤務をしています。営業時代は社内でも圧倒的な成果を出し、その成果が評価され管理職に抜擢されたことで日々充実した生活を送っていました。

父親が経営者で、社会人になった頃から会社経営に強い憧れがあり、自分もいつか起業をしたいという漠然とした想いを募らせていました。

またCさんは、長年の人材派遣事業の営業経験や管理職としてのマネジメント経験など、自分の実績に絶対的な自信を持っていました。

クライアント企業の経営・人事課題をヒアリングし、人材紹介をすることで企業が成長していく様子を数多く見ていく中で、採用コンサルティングを生業とした会社を起業することが自分には向いているのではないかと思うようになりました。

行動力のあるCさんは早速起業のやり方を調べ、起業資金と初期の事業運営費用を貯めるために複業をはじめようと考え、複業の目的を「法人設立の資金獲得」に設定しました。

Cさんの事例
（人材派遣会社に勤務する管理職の男性）

Cさん

都内人材派遣会社管理職

目的

法人設立の資金獲得

目標

1年後の法人設立に向け、
資本金、事業運営費用
計200万円を得る

目標は「1年後の法人設立に向け、資本金100万円、軌道に乗るまでの事業運営費用100万円の合計200万円を得る」に設定しました。

しかし、勤務先の就業規定を熟読してみると、複業を禁止されてはいないものの、自社のクライアントから利益を得ること（利益相反になる行為）は禁止されていました。Cさんは勤務先にはどんなことがあっても迷惑はかけられないと思い、自社のクライアントに声をかけることがないよう、細心の注意を払いながら複業をはじめることに決めました。

Cさんは人材紹介を主業務としていたため、採用コンサルティングを業務として行っていたわけではありませんでした。そこで、まずはCさんが本業で人材紹介をする中で、自ら考え、調べ、工夫しながら生み出してきた独自の採用ノウハウを記事として配信し、本当に需要があるのか否かを検証することにしました。

CさんのSNSでも発信することで徐々にコンテンツ自体も閲覧されるようになり、自信をつけたCさんは、自分が設定した時給単価でスポット的に採用相談を受けようと考え、複業マッチングプラットフォームに登録しました。

Cさんは経営や採用のアドバイスを相談したい企業から、オンライン形式、1時間5万円で相談を受けるという仕組みでマネタイズに成功していきました。晴れて起業した後も複業ではじめたオンライン相談は続けており、複業が起業の滑走路として大いに役立ちました。

ブレない目的が複業成功のカギ

いかがでしたでしょうか。全てモデルケースではあるものの、私は実際に近しい事例をいくつも見てきました。特にCさんのように起業を前提にまずは複業でミニマムにはじめてみる、という事例は私の経営者仲間でも多くいます。

後述もしますが、複業の探し方は多様化しており、知人からのリファラル紹介や人材紹介会社への登録、そして複業プラットフォームの利用など多くの選択肢が存在します。誰しもが複業をはじめやすい時代になったからこそ複業の目的が重要です。事例を元に金銭報酬の目的と目標を納得がいくまで考え、設計してみましょう。

非金銭報酬を目的とした複業

複業で得るお金では買えない報酬

さて、ここまで金銭報酬を目的とする複業について説明してきました。ここからは**「非金銭報酬」**について説明します。

「非金銭報酬」とは文字通りお金ではない形で得る複業の対価です。

必ずしも複業の目的はお金だけではありません。これからは非金銭報酬を目的とする複業が今までとは段違いに増えると確信しています。

あなたが金銭報酬を目的とする複業をはじめるとき、それを目的とする理由が曖昧なのであれば、必ずしも複業の目的をお金にする必要はありません。

金銭報酬を受け取らないボランティアという形であれば複業を容認している企業があります。複業が禁止だからといって諦めず、就業規則を確認してみましょう。

一方で、たとえ金銭報酬を受け取らない形であっても、複業を全面的に禁止している企業も同様に存在します。複業を禁止している企業で無断に複業を行うことは服務規程違反に該当し、懲戒解雇事由となることがあります。就業規則をしっかりと確認してから複業をはじめるようにしましょう。

非金銭報酬には、複業を通じて今自分が持っていないスキルの習得や既存スキルの鍛錬によって自己研鑽することを指す「**スキル報酬**」、本業では得られない実績を複業で積むことや未経験の職種に挑戦することなどで自身の市場価値を最大化することを指す「**キャリア報酬**」、自分の好きな事業領域や生まれ育った地元の企業や地方創生事業に複業で携わることによって得られる自己実現や他者貢献を指す「**感情報酬**」などが挙げられます。

前述の非金銭報酬は全て換金することができない目に見えない報酬です。裏を返せば、お金を払っても得ることができないものなのです。

それでは非金銭報酬として列挙した各報酬について詳しく解説していきます。

スキル報酬とは？

スキルには賞味期限がある

まずは「スキル報酬」についてです。**文字通り複業によって自身のスキルを身につけることを報酬と捉える考え方です。**

今の職場だけでは身につけられないスキルはきっとあるはずです。例えば、営業職をしながら同じ職場でプログラミングの新スキルを身につけることはなかなか難しいでしょう。逆にエンジニアをしながら本業で法人営業や新規開拓のスキルを身につけることも難しいです。

同じ職場では自分や組織に課せられている目標を達成することが最優先となり、その対価として給与という金銭報酬が支払われているため、すぐに希望する部署へ移動したり、異業種でのスキル獲得を目指したりすることは困難に近いといえます。

もしあなたが今の仕事におけるスキルのスペシャリストを目指している場合、新しいス

スキル報酬とは

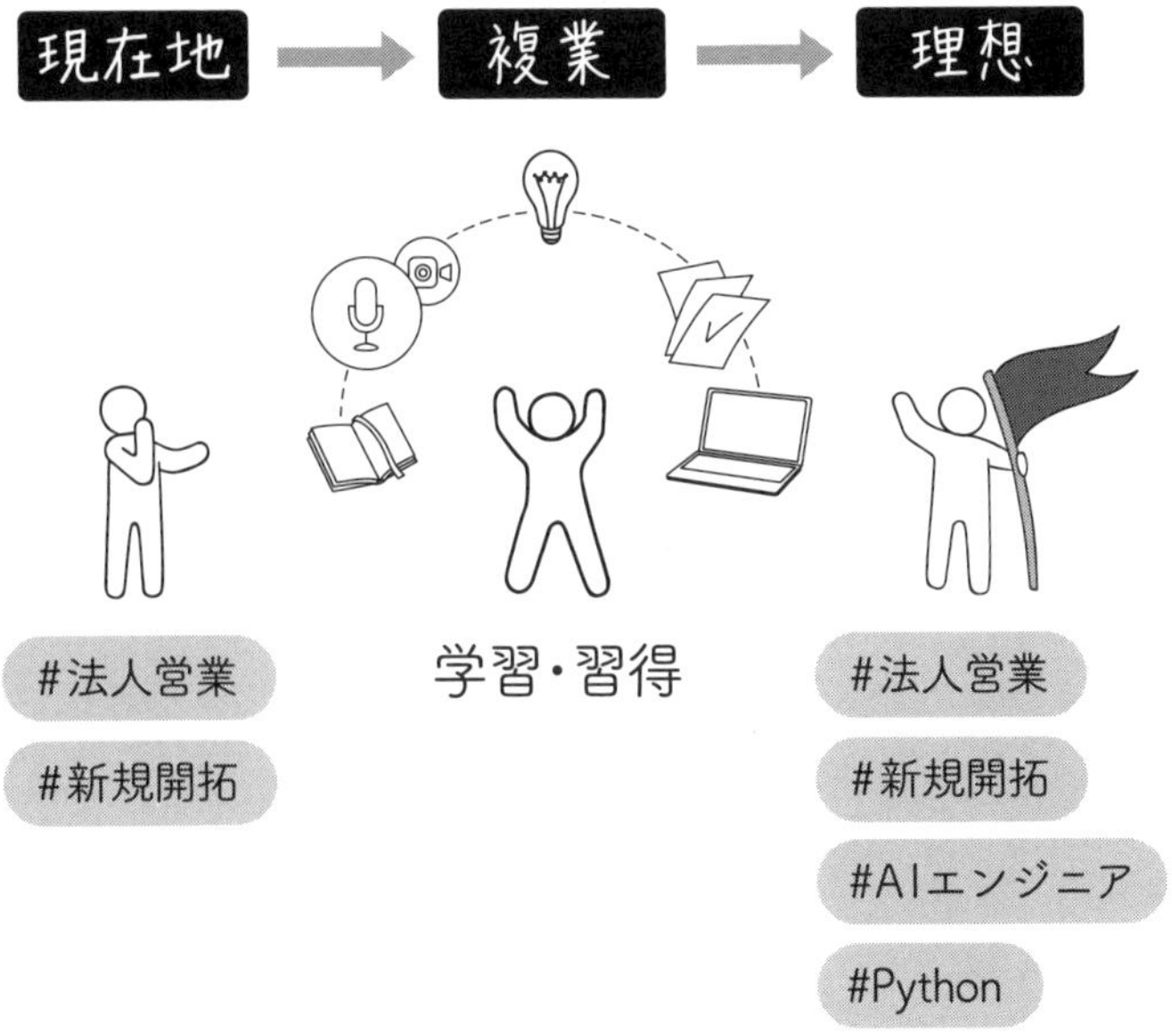

スキルには賞味期限があり、
自ら学びなおす必要がある

キルの習得には興味がないかもしれません。しかし、先行き不透明な現代においては、現在の市場価値が高いスキルも、いつかは賞味期限が到来します。

その市場価値はどう定義されるのか。何が市場価値を決めるのか。答えはシンプルです。**そのスキルに世間からの需要があるかないかです。**

入手困難な希少価値の高いモノに高い値が付けられることと同様に、スキルにおいても市場相場は需要に応じて変化します。例えば、ＩＴエンジニアの世界において10年前に使われていた開発言語は時を経てモダンな開発言語に取って代わっています。

営業において自社商材の販売をするスペシャリストになったとしてもその商材の価値が下がれば、商材特有の営業スキルは需要がなくなってしまいます。例えば、ガラパゴス携帯の販売スキルを極めたとしても、今はiPhoneに代表されるスマートフォン全盛期であるため、必然的にスキルの価値が変動します。

つまり、本業で身につけることができないスキルを複業で「スキル報酬」として獲得することで、将来の市場価値を最大化することができるのです。将来の大きなリターンを得るための「投資」と言っても過言ではありません。

時代と共に変わるスキルの価値

近年、学び直しを意味する**「リスキリング」**が欠かせない考え方となっています。

それは、日々めまぐるしく変化している社会において、何ができる人間なのかを示す「スキル」を持つことが重要視されるようになったためといえます。流行りのSNSであるInstagramの投稿にハッシュタグをつけるように、自分に「スキル」というハッシュタグをいかに多く、そして求められるスキルタグを装備できるかが、非常に重要な時代です。

また、社会から求められるスキルは多様化しています。例えば、製造現場や地方自治体などでは急速にDX化が求められるようになったことでDX人材のニーズ（市場価値）が高騰し、もはや正社員では採用が困難な状態に陥ったため、企業は、自社で育てるか、外部から複業などで採用するか、という選択が求められています。

今後も新しいスキルが次々と台頭してくる中で、スキルの市場価値に敏感になり、自ら学び直すことが求められているのです。

リスキリングの重要性が高まっている今、多くの企業が社員のリスキリングのためにさまざまな施策を進めています。例えば、教育システムの導入や企業間連携などが挙げられますが、従業員に対する複業容認もその一つです。

「再現性」と「汎用性」

スキル報酬を目的とする複業において重要なことは、将来的に価値の下がる「スキル報酬」を得ることはできる限り避けた方が良いということです。

価値が下がらないスキル報酬は「再現性のある汎用的な経験・スキル」です。オンライン化によるDXニーズの高まりのように、今後も次々と新しいスキルが必要とされます。しかし、必要とされるスキルを未来に行って確認することは不可能であり、仮に未来を予知し、スキルを習得したところでまた年数が経てば次のトレンドスキルが出てきてしまいます。

そこで、私は再現性のある汎用的な経験・スキルこそがこれからの時代に重要になってくると断言します。そしてその経験やスキルは、複業で身につけることをオススメします。

「再現性」とは、どんな企業フェーズでもどんな業界・団体でも一定のアウトプット（成果）を再現できる能力です。

いまや働く先（複業先も含む）は民間企業に留まりません。たとえば民間企業で働く人が、休日に地元の自治体で複業をするというように、場所・ジャンルを問わず活躍できる環境があります。近い将来は今よりもっと複業が一般的となり、ベンチャー企業から大手企業へ、大手企業からベンチャー企業へ、自治体から民間企業へ、自治体から他の自治体へ複業をするなど、企業規模や種類を超えた、いわば「越境」した人材流動が当たり前になっていきます。

「大手企業でしか経験がないために、ベンチャー企業でスピード感のある業務に慣れておらず、思うように成果が出せない」「ベンチャー企業でしか経験がないために、大人数でのプロジェクトに慣れておらず、自分の強みを発揮できない」という越境経験不足からくる活躍機会の損失は市場価値にも大きく影響することになると予測しています。

さらに、再現性に加えて**「汎用性」**を持たせることが重要です。汎用とは、広辞苑第七版によると「一つのものを広く諸種の方面に用いること」（**1**）とされています。汎用性は市場価値の算定において非常に重要です。

例えばあなたが、大企業で1億円もの多額の予算をもってマーケティングをしているとします。もちろんそれは誰もができる経験ではないため、立派なスキルとなります。

しかし、あなたがベンチャー企業で大きな予算を割かずにマーケティングすることを求められた際、今までの経験をトレースし、そのまま活かせるかと言うと少し難しいのが現状です。

理由はフェーズ（企業フェーズ、規模、予算など）の乖離が大きいからです。つまりせっかく汗水流して培ってきた貴重な経験・スキルは、汎用性を持てない限り、場所が変われば、「再現性」がないと判断されてしまう可能性が高いということです。

実際にあなたが複業をはじめるとき、複業先の企業と採用面談をするでしょう。そのとき、多くの企業が重視するのは**「経験・スキルを汎用的に活かすことができるか」**です。汎用性があなたのスキルの再現性の証拠となります。

特に、複業の採用現場においては、誰もが知る大手企業での経験よりも「自社と同じフェーズで課題解決をしてきたかどうか」「解決できる再現性を持っているか」が圧倒的に重要になることも往々にしてあります。

あなたが何かに悩んでいるときに相談するなら、同じ悩みを解決してきた人に相談したいですよね？　複業人材を受け入れる企業側も同じ考えを持っています。

スペシャリストかつ、専門的スキルが求められる時代であるものの、先述の説明の通り、今の市場価値が高いスキルもいつかは賞味期限が到来します。

もしかすると明日、自身のスキルに代替される画期的なＩＴツールが導入される可能性もゼロではありません。

これからは「スキル報酬」という発想の元に複業を積極的にはじめることで自身に新たなスキルを付与し、どんなフェーズでも対応できる柔軟な人材が求められるでしょう。**環境や状況が変わっても自身の市場価値にボラティリティー（価格変動性）が無い状態を目指していく**ために「スキル報酬」を目的とする複業もオススメです。

世代問わず、すべての人に必要とされているリスキリングに、まずは複業で挑戦してみましょう。

キャリア報酬とは？

複業で未経験から脱出を

次に、「**キャリア報酬**」という考え方についてです。

あなたはどんなキャリアを理想として描いていますか？

キャリアという観点には、昇格、転職、独立起業も含まれます。アーリーリタイアを選択肢として考えている人もいるかもしれません。そんな中、キャリア形成において複業という選択肢は非常に有効です。

いまのキャリアに漠然と不安を覚えている、しかし、何をすればいいのかわからない、選択肢が見えてこない人には、このキャリア報酬を目的とした複業をオススメします。

なぜなら、実際に違う環境で働くことで、自分の強みを再認識し、何が向いているのか、本来やりたかったことは何か、目指すキャリアにおいて足りていないスキルは何か、自己認知することができるからです。

また、近年増えているキャリア選択の1つとして、「異職種」を目指す転職活動があります。つまり**「キャリアチェンジ」**です。

しかし、個人の異職種への転職のハードルは依然として高いままです。そもそも、キャリアにおいて、自身が本当にやりたい職種なのか、今までのスキルを活かせるような職種なのかなど目指すキャリアチェンジ先の職種での業務経験がないからこその悩みが発生します。

また、未経験職種への転職は、受け入れる企業の教育研修の費用や工数がかかるため、将来性と素養が認められない限り非常にハードルが高いものとなります。異職種への転職需要が高まっている中、未経験者を募集する企業も存在する一方で、転職要件として即戦力となる経験者であることを必須とするケースも依然として多いのが現状です。

もしあなたがキャリアチェンジを伴う転職を考えているのであれば、非常にネガティブな話だったかもしれません。でも心配する必要はありません。複業という選択肢があるからです。

「キャリア報酬」を目的とする複業では、興味のある職種にまずは複業でチャレンジし、

現場で学び、実務経験を積むことでしか得られない経験を獲得することができます。それは本業の一社では希望する部署への異動などがない限り決して得ることができません。複業だからこそ未経験の職種にチャレンジすることができるのです。

また、最近では社会人向けのオンラインスクールなども多く存在します。プログラミングスクールは有名ですが、マーケティングや広報、デザインなどオールジャンルを学べるスクールが増えています。そのようなスクールで基礎を学び、複業で実践するという、座学と実務を組み合わせることも転職活動でも未経験として扱われない実績を獲得できます。

企業から「モテる」人材と「モテない」人材の決定的な違い

あなたが企業の採用担当だとして、目の前に2名の候補者がいるとします。すぐにでも現場に入れる人材を求めている際、あなたならどちらに興味を持ちますか?

Aさん「私は今の職場では営業職に10年従事してまいりましたが、この度、心機一転エンジニアにキャリアチェンジをしたく思っております。経験はありませんが、営業で培ってきた行動力と気合いで乗り越えて即戦力になれるよう努力いたします」

Bさん「私は今の職場では営業職に10年従事してまいりましたが、この度、兼ねてより希望していたエンジニア職にキャリアチェンジすべく貴社に応募いたしました。現職場での実務経験はありませんが、オンラインスクールで半年間学び、IT企業で複業エンジニアとして半年間複業先の新規プロダクト開発のプロジェクトに参画し、実務経験を積んできました。10年の営業で培ってきたコミュニケーション能力を武器に開発現場では円滑な会話を心掛け、顧客ファーストなエンジニアになりたいと思い貴社に応募いたしました」

AさんとBさんは大きく分けて二つの違いがあります。

1つ目は未経験と複業経験との差が顕著に表れるということです。

半年間の現場での実務経験があるかないかで大きく印象が変わってきます。採用する企業側にとっては、座学だけでは心もとなく、本当に現場で活躍できるのかを不安に感じます。そこで複業での現場経験に価値があるのです。

二つ目はキャリアチェンジ前の職種で強みとするスキルを具体的にアピールできているかです。スキルは掛け算をすることで希少性が跳ね上がります。どのスキルを掛け合わせて市場価値をアピールするかが非常に重要になってきます。

今回のBさんの例では、エンジニアとしての開発経験と、営業で培ったコミュニケーションスキルを掛け合わせることで希少性を生み出しました。「コミュニケーション能力が高いエンジニア」という印象を与えてアピールすることに成功したと言えます。

忘れてはいけないのが、この掛け算が実現できるのは、複業で得た「キャリア報酬」があるからだということです。

感情報酬とは？

貢献から得られる感情という報酬

ここまで「スキル報酬」「キャリア報酬」と説明してきましたが、最後は「感情報酬」についてです。「感情報酬」と聞いて何を得ることができると想像しますか。感謝や感動といった感情を思い浮かべたのではないでしょうか。

「感情報酬」とは、自己の求める感情を対価として受け取ることを複業の目的とします。分かりやすい感情報酬としては自己実現による達成感、幸福感、承認、居場所という心理的安心感などが挙げられます。また、他者貢献や地元への恩返しなどの感情も該当します。

馴染みのない言葉だと思いますので、大変僭越ながら私の求める感情報酬を例に挙げ説明します。

私は地元が大分県で、大学進学と共に上京しました。生まれ育った大分県が大好きで、両親を愛するように、地元である大分県を愛しています。もっと大分県の魅力を日本全国、そして世界に知ってもらいたい、そして生まれ育った地元がずっと残り続けてほしい、そのために私も自分の時間を使い貢献したい、という想いが日に日に強くなっています。

このように、感情報酬を目的とした複業では自らが強い思い入れのあること、もの、場所などに関わることで得られる幸福感などの感情を得ることができます。

また、感情報酬は、理想形が曖昧になりやすい報酬であるため、目的と目標を明確に定めることが重要です。複業の目的としては、複業によってどんな感情を得たいのか、どの

ような企業や地域、自治体などの団体に貢献をしたいのかを明確にしましょう。感情を数値化することは極めて困難であるため、目標を定量的に数値化することは難しいかもしれません。その際は、どうしたら目的を達成できるのか、その道筋を言語化し、目標とすることをオススメします。

再び、私の例で目的と目標の具体例を紹介します。私の人生の目的は「大分県の活性化」です。補足ですが、経営者としての目的と私人としての目的は分けて考えているため、もちろん経営者として会社のミッションである「複業の社会実装を実現し、挑戦するすべての人の機会を最大化する」という大義も常に強く掲げて経営をしています。

地元の活性化を人生の目的に設定した私は、大分県内のイベントへの参加や登壇回数を目標に置き複業をしています。「年に5回以上、大分県内のイベントに登壇する」という定量的な目標設定です。もちろん金銭報酬としてではなく貢献したいという感情、その延長線上にある幸福感という「感情報酬」を得るための複業です。自身のことを述べるのは少し恥ずかしくはありますが、何かの参考になれば幸いです。

ウェルビーイング／well-beingを複業で

複業によって**「ウェルビーイング／well-being」**を求めることも可能です。あなたも1度は耳にしたことがあるのではないでしょうか。

世界保健機関（WHO）憲章 前文によれば、「健康とは、完全な肉体的、精神的及び社会的福祉の状態であり、単に疾病又は病弱の存在しないことではない。HEALTH IS A STATE OF COMPLETE PHYSICAL, MENTAL AND SOCIAL WELL-BEING AND NOT MERELY THE ABSENCE OF DISEASE OR INFIRMITY.」とされています(2)。

ウェルビーイングにはさまざまな解釈がありますが、私は肉体的・精神的・社会的の三つのすべてが満たされた幸福度の高い状態だと理解しています。

私たちの1日の大半を占める仕事。企業は、従業員がウェルビーイングな状態になるために、働き方改革を通じてよりよい職場環境を創り、社員の心理的・身体的安全性を確保することが急務となっています。いかにウェルビーイングを実現するための施策を迅速かつ話題性を持たせて打ち出すかが重要となり、それが採用力向上にも離職率低下にもつながるため、変化に柔軟に対応できる企業こそが生き残れる時代に突入しています。

幸福度を高めるための1つの手段は**新しい学びを得ることです。新しいことに挑戦し、**

学び、実践することが自身の成長を実感できることが重要であり、それは複業を通じて実現することができます。ウェルビーイングは複業で得られる感情報酬そのものです。

あなたの挑戦や夢、趣味を1社だけで全て実現するのは非常に困難です。一方で、今勤めている会社を退職してゼロから新しいことに挑戦するのも、ハードルが高く、非常に難しい決断になるでしょう。

なぜなら、家業の継承、家族の関係、地元愛、仕事関係、などさまざまな理由で、今の環境を変えることができない、そんなケースが多くあるからです。

そこで「複業」です。**複業という形であれば大きく自分の環境を変えることなく挑戦することができます。**オンラインの普及により、地方と都市部での仕事における距離がなくなった今、場所を問わず働くという選択肢ができました。

複業がしやすい社会となった今、「感情報酬」を複業で受け取ることで幸福度の最大化につなげてみてはいかがでしょうか。

感情報酬とは

- 達成感
- 幸福感
- 承認
- 他者貢献
- 恩返し
- 居場所

今の環境を変えることができない要因

- 家業の継承
- 家族の関係
- 地元愛
- 仕事関係

↓

"複業"であれば今の環境を
大きく変えることなく実現可能

複業のメリットは「一社両得」

複業をはじめるときに大事なファーストステップとして「複業の目的、目標を決める」ことを解説しました。この手順が最も重要になります。どんな報酬を得たいのか、それは金銭報酬なのか非金銭報酬なのか、それはどんな理由なのでしょうか。

複業をはじめると色々な会社から声がかかったり、多くの求人を目にしたりすることになります。選択肢が溢れている今、どの複業から始めようか、迷うこともあるでしょう。そこで、最初に決めた複業の目的があなたの**「複業軸」**になります。軸がぶれると真っ直ぐ進むことはできません。複業も同じです。

将来の人生設計のため、起業や結婚のために収入を増やしたい、という複業目的であれば金銭報酬として目標を細かく設計してはじめましょう。

本業で得られないスキルを身につけたい、という複業目的であれば非金銭報酬（スキル報酬）として異なる規模の企業などで挑戦するのが目的達成につながるでしょう。

職務経歴書に書ける実績が少ないことを危惧し、複業で自身のトラックレコードいわゆる履歴書に書けるような功績や成果を増やしたい、などという非金銭報酬（キャリア報酬）を目的とした複業もあります。ベンチャー企業や地方企業に参画し、事業立ち上げの

複業の「報酬」とは

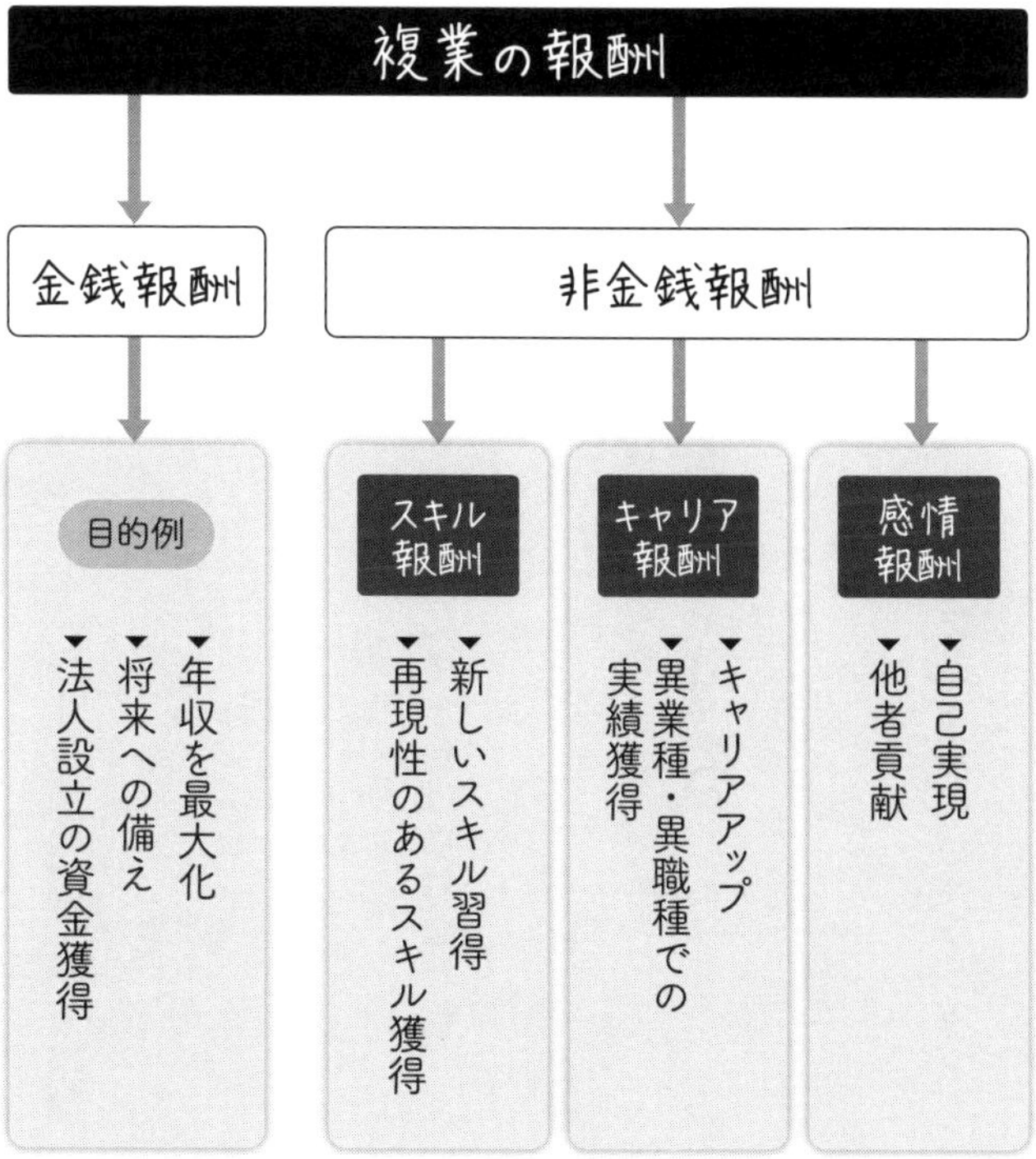
複業の報酬
金銭報酬
非金銭報酬
目的例
▼年収を最大化
▼将来への備え
▼法人設立の資金獲得
スキル報酬
▼新しいスキル習得
▼再現性のあるスキル獲得
キャリア報酬
▼キャリアアップ
▼異業種・異職種での実績獲得
感情報酬
▼自己実現
▼他者貢献

経験を積むことだってできます。

何か地方に貢献したい、地方創生に携わりたい、という非金銭報酬（感情報酬）を目的とした複業も近年増えています。

得意なことを複業としてマネタイズしていくのか、新しいスキルを複業で身につけていくのか。複業にはさまざまな選択肢があります。

複業のはじまりは目的を決めることから。それ以外に1歩目はありません。

2 自分にスキルのハッシュタグをつける

スキルのハッシュタグとは？

複業をはじめるときに大事なことの二つ目は「**自分にスキルのハッシュタグをつける**」ことです。

ハッシュタグ（#）は誰しも聞いたことや使用したことがある言葉だと思いますが、Instagram や Twitter などのＳＮＳの投稿で使用されるタグ、つまり「ふだ」を意味します。例えば旅先の写真をＳＮＳに載せるときに閲覧者に分かりやすいように「#温泉」「#別府」などとタグをつけるでしょう。その作業のように、自分にスキルという形でタグをつけるのです。

この作業は、自己分析に近い作業ですが、自分という人物の人格や性格を分析するというよりは、仕事においてどんなスキルを身につけているのか過去や現在の業務、業績から発見するというものになります。

なぜスキルを可視化し、自分にタグ付けをする必要があるのかは、採用する企業側の目線に立ってみると分かりやすく理解ができます。

そもそも、「転職」と「複業」では企業の採用目的が根本的に異なります。転職活動（企業の場合はキャリア採用）の場合、一般的に企業は、採用後すぐに組織で活躍するといった即戦力性よりも将来性や育成における成長性を重視する傾向にあります。

もちろん、すぐに活躍するに越したことはありませんが、入社してまずは会社のミッション、ビジョン、バリューなど企業哲学を理解し、しっかり組織や新環境に馴染んでもらうための丁寧な入社時研修を経てスタート地点に立つのが一般的な考え方です。中長期的な時間軸で活躍を期待することが企業側のキャリア採用の目的でしょう。

一方、複業採用の場合はどうでしょうか？

複業採用の場合は基本的には**「即戦力性」**を求められます。考え方としてはキャリア採用とは正反対だと思っていただいて問題ありません。

いますぐ自社に必要なスキルを持ち合わせている、現在進行中のプロジェクトにすぐに入ってメンバーと業務を遂行してくれる、という即戦力性です。スキルのレベル感と自社でも活躍する再現性のある汎用的なスキルを持ち合わせているかどうかを即戦力人材として判断します。

企業は経験やスキルと引き換えに「金銭報酬」を支払うため、将来性や成長性よりも即戦力性を重視するのは当然の考えです（後述しますが、非金銭報酬の複業である場合はその限りではありません）。

つまり、転職活動は今までの職務経歴やキャリアの志向性を重視する選考活動が一般的ですが、**「転職活動での自己アピール＝複業活動での自己アピール」という等式は成り立ちません。**これに気づかずに複業活動で自分をアピールしていると、企業側にメリットを上手く訴求できず、採用されない傾向があります。

採用側の視点を理解することは、転職・複業に関係なく非常に重要です。

「イイね」が増える複業履歴書

転職活動をした経験がある人は履歴書や職務経歴書を書いたことがあると思います。私も経営者として日々多くの転職希望者の方々と面談をする中で数多く読んできました。

私のイメージですが、「履歴書」は職歴を抽象化したデータであり、「職務経歴書」は職歴の実績や活動内容をより具体化したデータです。

転職活動ではこの二種類の書類があれば十分です。しかし、**複業で重要なことは職務経歴書の実績や活動内容を第三者目線で俯瞰して、「スキル」として可視化すること、自分にスキルのハッシュタグをつけること**です。

例えば、エンジニアの職種は分かりやすく、開発で扱える言語をスキルとして可視化し、実績と共にアピールできるでしょう。

では、マーケターなどはどうでしょうか？　例えば、「新規サービスで1万人のユーザー獲得にマーケターとして従事」などの職歴を持つ場合、スキルのハッシュタグを付けてみると、「＃toC マーケ」「＃WEBマーケティング」「＃facebook 広告」「＃ライター採用」「＃ WordPress」などたくさんハッシュタグを付けることができます。マーケターと一言で言っても多様なスキルに細分化されます。他の職種も同様です。

なぜスキルのハッシュタグ化が複業で重要なのか。繰り返しになりますが、複業を採用をする企業は応募者の即戦力性をスキルの有無で判断し、面談などで再現性の有無を確認するからです。

書類上の経歴だけ見ると「実績はなんだか凄そう」という人も、スキルの有無を深堀りして聞いてみたり、再現性の有無を聞いてみたりすると、書類に書いてある実績のメイン担当は別の人だった、というようなミスマッチが起こります。

複業はより具体的な業務の切り出しが行われるジョブ型の雇用方法です。そのため、企業側は明確に必要なスキルを言語化し、マッチする人を探しているというのが複業の採用現場で起きていることです。

実はシンプルな「#」のつけ方

スキルのハッシュタグ化の方法は非常にシンプルです。まず、いままで会社でやってきたこと、プロジェクト、具体的な実績、受賞歴など全て書き出し、業務内容や実行したいことを羅列してみましょう。ポイントは**「徹底的に具体化する」**ことです。

例えば、「#法人営業」といっても、「#新規営業」「#ルート営業」「#経営者向け営業」「#人事向け営業」「#総務向け営業」「#テレアポ」「#飛び込み営業」「#営業資料作成」「#クロージング」「#大手企業向け営業」「#ベンチャー企業向け営業」「#○○業界向け営業」など、より具体的に細分化することが可能です。使用したことがあるツール名、担当業界などもハッシュタグ化することが可能です。

行き詰まったときは、どんな業界・会社規模に対し、どんなサービスやプロジェクトを担当し、どのような成果を出し、その成果を出すために日常業務として何をやってきたか、どんなツールを主に活用したか、という切り口を自分に与えてみると書きだしやすくなると思います。

では、ここからは職種別に代表的なスキルのハッシュタグ化をしてみます。第2章で9職種のスキルのハッシュタグを紹介しますが、ここでは3職種に絞り汎用性のある事例を紹介します。何かひとつでもインスピレーションを得ていただければ幸いです。

A・営業職のケース

1 法人営業

営業職で最も多い業務が法人向けの営業ではないでしょうか。

法人営業の場合は分かりやすく、営業商材の特性・ターゲット業界・役職・職種を整理します。さらに、新規で営業先を開拓するのか、既存の顧客をルート営業という形で深耕するのか、に分かれるでしょう。そして、営業の実績や使用ツールを書き出していきます。ここまで書き出せればハッシュタグ化の用意は整います。

ハッシュタグ例として、「#法人営業」「#生産性ツール」「#人事ツール」「#製造業向け営業」「#全業界向け営業」「#経営者向け営業」「#総務向け営業」「#新規開拓」「#深耕営業」「#人脈営業」「#開拓力」などが挙げられます。

2　営業企画

営業企画も非常に多くの企業から複業で引き合いのあるポジションです。まず、商品の売り上げ向上のための営業戦略策定や、効率的な営業のためのサポートなどに分かれるでしょう。そして、営業商材の特性・ターゲット業界・役職・職種を整理します。

また、具体的に何を日常業務として実行し、何を営業課題とし、どう解決していったか、その際の利用ツールなども書き出していきます。

ハッシュタグ例として、「#営業企画」「#営業戦略」「#営業戦術」「#リード獲得」「#営業資料作成」「#営業リスト作成」「#営業効率化」「#営業フロー策定」「#営業支援ツール」「#MAツール」などが挙げられます。

営業と言っても右記のようにスキルを細分化し、可視化することができます。

例えば、人事向けのツールを扱っている企業が新規開拓を強化したいときに真っ先に声をかけるのは、間違いなく「#法人営業」「#人事ツール」「#新規開拓」というハッシュタグでスキルをアピールしている人です。

1 消費者向け（toC）マーケティング

マーケティング職と一言でいっても、誰に向けてどのような商材をマーケティングしたのかが分からなければ、採用側が再現性を判断しづらいのは当然でしょう。

マーケターの場合は、どのような商材（ターゲット層・商材単価・特徴全般）をどのような手法（マス広告、WEB広告、SNS）で、どれくらいの予算でマーケティングしたかを徹底的に具体化することでスキルをハッシュタグ化し、企業に再現性をアピールすることが重要です。

消費者向け（toC）マーケティングのハッシュタグ例として、「#消費者向けマーケティング」「#toCマーケティング」「#Z世代向けマーケティング」「#シニア向けマーケティング」「#高単価商材」「#女性向け商品」「#TVCM」「#Instagram運用」「#TikTok運用」「#SEO対策」「#ライティング」など枚挙にいとまがありません。

2 法人向け（toB）マーケティング

消費者向けマーケティングと対比されるのが法人向け（toB）マーケティングです。

近年オンラインでの営業活動が増え、より生産性が求められる中で、法人向けマーケティング人材のニーズは複業採用において爆発的に増えています。基本的には消費者向けマーケティングと似ており、商材や手法、予算、何を目的としたマーケティングなのかを具体化することでスキルをハッシュタグ化します。

ハッシュタグ例として、「#法人向けマーケティング」「# toB マーケティング」「#コスト改善ツール」「#経営者向けマーケティング」「#リスティング広告」「#ポスティング」「# Facebook 広告」「#タクシー広告」「#リード獲得」「#ブランディング」「#認知拡大」などが挙げられます。

C・管理部門全般のケース

総務や事務職などの管理部門もニーズが増えている職種です。特に創業間もないスタートアップ企業では、正社員で迎え入れる余裕がなく、複業という形でサポートして欲しいと考える企業は多いです。

総務・事務職は会社を支える心臓部のような職種です。書類作成、オフィス整備、契約書の送付、データ入力、電話対応などの業務を担うことが一般的です。当たり前のように日々行っていることでも、総務・事務職のいない企業にとっては当たり前ではなく誰かが兼務をしているケースがほとんどです。

日々の業務をスキルとしてハッシュタグ化をすることで企業にアピールしましょう。企業は自社に足りていない部分を補うために声をかけるでしょう。

ハッシュタグ例として、「#総務」「#契約書作成」「#書類整理」「#DX推進」「#データ入力」「#Excel」「#Word」「#電話対応」「#顧客問い合わせ対応」「#キャンペーン案内」「#オフィス移転」「#ドメイン取得」「#セミナー運営」「#英語対応」「#日程調整」「#資料作成」「#営業」「#法務」などが挙げられます。

すべては自分を知ることから

今までの実績を数値化し、スキルのハッシュタグ化をすることで喜怒哀楽もあると思います。自分のやってきたことでスキルが身についた実感がなかった、個人の力よりもチームの力での実績だった、何年も同じスキルを焼き直ししているだけだったというネガティブな感情もあれば、気づいたら意外と多くのスキルをハッシュタグ化できた、当時はネガティブな部署異動・プロジェクトへの配置だったが、振り返るとスキルのハッシュタグが倍増していたというポジティブな気付き、など人それぞれ気付きがたくさんあることでしょう。

スキルのハッシュタグ化の作業を通じて、自分には企業にアピールするスキルがないと自信がなくなった人もいるかもしれません。でも大丈夫です。スキルがないことに気づいた時点で優位に立っていると考えてください。

たとえどんな結果であれ、自分を知ることが最も重要です。早いに越したことはありません。今気づいてよかったと思えればそれで良いと思います。複業で本業の会社の看板を外したときに自分のハッシュタグの少なさに気づくよりは断然良いでしょう。

自分の至らなさを知っている人間は強いです。あとは本業でスキルを身につけるか、それとも複業でスキルを身につけるか、なのです。

これまでお伝えした通り、複業の対価は金銭報酬が全てではありません。自分にないスキルや経験を（時にはボランティアででも）複業で身につけることができます。

スキルのハッシュタグを多くつけるために、複業をすることも1つの選択肢です。今のあなたの強みとなるスキルは何ですか？　それを求めている企業にアピールできるようにスキルと実績を可視化しましょう。

今のあなたが身につけたいスキルは何ですか？　それを求めている企業は世の中にどれくらい多くありますか？　今のあなたが磨きたいスキルは何ですか？　スキル獲得のために金銭報酬以外を目的に複業先を探すことも視野に入れていきましょう。

3　本業の就業規則やルールを確認する

本業を失ったら元も子もない

複業をはじめる前に、本業の就業規則を必ず確認しましょう。

あなたが所属する企業のルールには何と書いてありますか？　許可条件や出さなければならない届け出はありますか？　禁止されている場合、どのような活動が禁止されていますか？

皆様の中には隠れて複業（伏業）をしたいと思っている人がいらっしゃるかもしれません。複業をしていると伝えることで、上司から嫌われないか、本業の手を抜いていると思われるのではないか、不安になるケースを耳にすることがあります。しかし、私はむしろ逆だと思っています。

大前提として、本業以外での活動を禁止している企業で無断で複業を行うことは服務規程違反にあたり、懲戒解雇事由に該当することがあります。届け出が必要なケースや条件付き容認のケースでも同様です。

自分の金銭報酬、非金銭報酬のために複業をはじめたにもかかわらず、本業の職を失ってしまったら意味がありません。

その上で本業の上司や同僚へしっかりと「伝える」ことが「複業の成果最大化」につながります。本書であなたは複業の目的を明確にし、思考を整理できたと思います。その想いをしっかりと上司など信頼できる社内の人に伝えることを強くオススメします。

例えば、自身のスキルアップを目的に複業をはじめる場合、複業先で得たスキルが本業での業務改善や成果向上につながり、本業に還元できるでしょう。自身のスキルアップという目的は、直接的／間接的に本業にも良い影響を及ぼすのです。

複業は本業にも活きるものであり、リスキリングにもつながります。つまり、会社や上司にとっても非常にメリットがある挑戦です。もちろん、組織内の立ち位置や関係性などがあるとは思いますが、私はむしろ正々堂々と言わないほうが損をすると思っています。

誰にも伝えず、隠れて複業をはじめ、本業に迷惑をかけてしまうのか、周囲の人へ覚悟と想いを伝え、複業を全力で行い成果につなげるのか、この違いが複業の目的の達成度合いと密接に関わってきます。

最低限のルールを守り、できることであれば、堂々と複業をはじめましょう。

一方で、複業制度や条件・仕組みは個社ごとに異なるのが現状です。従業員はそれぞれ異なる基準を正確に把握し、違反しないように取り組まなければなりません。

例えば、複業をするための条件があるケース、届け出が欠かせないケース、金銭報酬を受け取らないボランティアでの複業は容認されているケース、利益相反の範囲が広く設定されているケースなどさまざまです。

できないと思ってやらずにいたら、実は容認されていたなんてケースは非常にもったいないでしょう。逆もしかり、届け出を忘れ、禁止事項に抵触してしまう危険性もあります。あなたの会社の就業規則や規定を確認してから複業をはじめましょう。

よくある質問の1つに、競業避止義務においてどこまでが「競合」にあたるのか、ということがあります。競合や同業他社という表現をすることが多いこの条件ですが、定義は個社によって異なります。また、複業をすることで利益相反にあたらないか、こちらも確認が必要です。例えば、本業で取引のある企業で複業をする多くのケースは利益相反にあたるため制限されています。自己判断をせず、必ず応募の前に確認をしましょう。

企業が懸念する3つのリスク

本書を手にとっていただいた皆様の中には、現状、勤務する会社が複業を許可していないというケースもあるでしょう。企業が解禁・容認に踏み切れない理由は「**①情報漏洩のリスク**」「**②人材流出の懸念**」「**③労務管理の煩雑さ**」の主に3つと言われています。

まず、「①情報漏洩のリスク」です。複業先に自社の機密情報が漏れてしまうのではないか、企業はこのリスクを恐れています。しかし、情報漏洩に関しては、複業をしていてもしていなくても普段から意識するべき事項です。例えば、居酒屋やレストランで上司と部下が話す会話も情報の塊です。複業をする以前に、まずは日常生活におけるコンプライアンス意識を高める必要があると言えます。

次に、「②人材流出の懸念」です。複業を解禁し、外で働き始めることで従業員が複業先に転職してしまうのではないか、そのような懸念を指します。

しかし、私は複業を従業員に認めることこそが転職を防ぐための手段だと考えます。急速なオンライン化や働き方改革により、時間に縛られない自己実現が可能となり、本来やりたかったことに挑戦しやすい世の中になりつつあります。そして可処分時間が増えたことにより、自分の思考に当てられる時間が多くなりました。

その中でまず考えるのは、今の自分の仕事は本当に自分に合っているのか？　本当にやりたいことはこれなのか？　今の会社に所属し続けることができるのか？　ということではないでしょうか。

本書を読む皆様の中にも、自分の将来や会社に対する危機意識をもつ人は多くいることでしょう。そんな時代背景の中で「これが自分のやりたいことだ！」と思ったときに、転職の選択肢しかなければ、会社を辞めるしかありません。それは会社にとってのリスクです。だからこそ企業は社員が自分のやりたいことをまずは複業で実現できる環境を整えるべきです。退職や転職といった大きな環境変化を伴わずにチャレンジできる複業。それができる環境があれば、転職をしなくてもよくなるわけです。

最後に、「③労務管理の煩雑さ」です。企業は従業員の過重労働を防ぐ義務があり、複業解禁によって管理コストが上昇するという懸念です。

しかし、厚生労働省の「副業・兼業の促進に関するガイドライン」によると、「従業員が他社から業務委託を請け負っている場合、労働基準法の適用から除外され、本業先と業務委託先の労働時間は通算されない」と記載があります（3）。

制度設計はまだまだ足りていない部分も多くありますが、労務管理の負担は思うほど重くはありません。

このように、企業が複業を解禁しない理由が少なくなっている現在、皆様が複業しやすくなる時代はもう目の前まで迫っているのです。

4 複業時間割を設計する

週に何時間、複業に人生（時間）を使うのか

複業の目的を整理し、スキルのハッシュタグを付け、本業のルールを確認し、いざ複業をはじめる前に、あと少しだけ準備が残っています。

4つ目は「**複業時間割を設計する**」ことです。

私は複業のマッチングプラットフォームを運営している会社の代表として、複業実践者や複業人材を採用する企業の経営者とコミュニケーションを取る機会が日々多くあります。その中で気付いたことが複業にも危険サインがあるということです。

オンライン化が進み、複業に挑戦しやすくなった現代だからこそ、自身のキャパシティを超える業務負担がかかったり、案件過多になり自身のストレスの限界を超えてしまったりする危険性も大いに孕んでいます。複業は基本的にプライベートの時間で実施する活動です。当然ながら、自分の責任の中で行わなければいけません。

複業が簡単にできるようになったからこそ、複業に挑戦するすべての人に必須のスキルがあります。それは、**「自己管理能力」**です。もはやスキルとして考えていただいて良いでしょう。

自己管理とは、「①タスク管理」「②生産性向上」「③心身の健康管理」という三つに分類されます。

1　タスク管理とは

1つ目のポイントは「①タスク管理」を徹底することです。

複業とは「本業も含めた複数の居場所で、複数の目的を達成するために行う仕事」です。当たり前のことですが、どちらかを疎かにしてやるものではありません。いずれかが中途半端になるとどちらにも熱が入りません。また、仕事における組織への貢献度合いは「プロセス」ではなく目に見える結果という「アウトプット」で測られます。

複業も同様です。**複業先の期待する結果を出し続けることが複業を長続きさせるための秘訣です。**本業では昇給・昇格などで評価されますが、複業では契約の更新や単価の向上につながるでしょう。その中で、日々のタスク管理が安定的な結果を出し続けるために重要になります。

タスク管理の方法はさまざまですが、自身に適したツールを見つけ、自分に合ったタスク管理方法を身につけながら、本業も含めた全ての仕事の漏れがないように行う必要があります。複業先を多く掛け持ちする場合はなおさらです。

デジタルツールを駆使するのも1つですし、付箋で管理するなどやり方はたくさんありますが、脳内で記憶する、という管理方法では必ずタスク漏れが発生するため避けましょう。

そして管理のポイントとしては、タスクすべてに、優先順位、期日を漏れなくタグ付けすることです。ぜひ、自分にあったタスク管理方法を見つけてみてください。

2 生産性向上とは

2つ目のポイントは「②生産性向上」です。リモートワークが導入されたり、オンラインでのやりとりが増えたりするなど、働き方が大きく変化し、効率的に働ける環境下になったことが、逆に個人の課題となるケースもあります。

それは、**プライベート空間で会社の業務を行うというある種の公私混同により、業務とプライベートの境界線が曖昧になること**です。長時間労働の危険性が増え、生産性が下がってしまう可能性があるのです。

リモートワークが導入された企業でも、生産性が上がったと感じる人もいれば、下がったと感じる人も多くいるでしょう。

これは複業においても同じことが言えます。複業はあくまでプライベートの時間で複業先の業務を担い、自己責任のもとで行うものです。

極端な例を挙げると、プライベートの時間の中で、寝食を忘れて働き続けることができてしまいます。そうならないよう、いかに生産性を上げながら自己管理するのかが重要です。

実は、このような課題に対して、対策を打ち出す企業もあります。しかし、企業がルール設定するケースは少数派であり、複業をしている人はなおさら、企業が環境を整えることを待つだけではなく、自分自身で生産性を上げていく「マイルール」を整えることが重要となってきています。

例えば、集中したいときは必ずSNSなどの通知を切る、複業は必ず土日で行うことにする、などマイルールを決め、その中でメリハリのある生活を送ってみてはいかがでしょうか。

3 心身の健康管理とは

3つ目のポイントは「③心身の健康管理」です。心身の健康管理が実は複業の自己管理能力において非常に重要なことです。実際、複業には不幸せなケースも存在します。それは、本業でパフォーマンスが上手く上がらない、本業で何か大きなストレスを感じている中で複業をはじめるケースです。

本業から逃げるという選択肢は、悪いことではありません。時には逃げることも大切です。しかし、本業で心身ともに参ってしまったときに、同時並行で複業を目指すこと、心身ともに健康でない状態ではじめる複業は、新しい環境によるストレスを増幅させるなど、リスクが大きく、本当に幸せな複業ではないのです。

また逆のパターンで、本業の調子は良いものの、複業での調子や関係性が思うように行かないというような、複業によってストレスに感じるケースもあり、それも同じく本業に悪影響を及ぼす危険性が高まってしまうため、精神衛生上好ましい状態ではありません。

また、不幸せな複業を招いてしまうケースとして、複業が当初の想定より多忙になってしまい、タスクとプレッシャーに追われてしまうことがあります。

本業と複業のタスクを自身のキャパシティ以上に抱えてしまい、常に頭の中はタスクに追われるという「脳内カオス」が発生し、それをストレスに感じるという最悪のサイクルは実際によくある心身の不調を引き起こすトリガーなのです。

このようなサイクルに陥ったとき、もしくは自身の性格的に陥る可能性があると思われるときは、**まず本業に専念し、タスク管理能力や生産性を高めた上で複業に挑戦する方がよいでしょう**。

また、補足にはなりますが、複業の報酬額が自分の思うスキルや経験に不相応な場合も不幸せな複業になる可能性があります。不相応とは、低すぎる報酬はもちろん、その逆の高すぎる報酬という視点も含まれます。高すぎる報酬は、その金銭報酬に見合ったアウトプットを出さないといけないのではないか、見合うアウトプットを出していないのではないか、というストレスになりかねません。

複業の金銭報酬の金額設定は当事者間で行うケースがほとんどです。転職では現年収という1つの基準がありますが、複業における単価相場は世の中に正解がありません。初めての複業だと本当に手探りです。

また、スキルや経験は、その時の市場価値や企業の人材不足や該当する課題の深さによってボラティリティー（価格変動性）が発生します。複業の面接では、適正金額という面でしっかりと話し合った上で、自分がストレスを受けない程度の報酬を受け取るようにした方が良いでしょう。

目先の金銭報酬に目が眩んでついつい高めに設定してしまうと、企業はもちろんその金額の分だけ期待をし、アウトプットを求めます。受け取る複業の金銭報酬と企業の求めるアウトプットと期待値は必ず面談時に確認し、複業をはじめてからトラブルにならないよう、過度なストレスがかかることのないよう気をつけましょう。

タスク管理と生産性向上という能力を高めることで、自然と心身の健康管理にもつながります。結果的には複業で必須の自己管理能力を上げることができるでしょう。

大前提として、自身のタスクや時間のキャパシティを超えた案件数を抱えないというのが複業では鉄則です。

自身の限界や性格を理解しながら本業＋αでできるタスク量を見極めて、複業先を選びましょう。結果としてまだキャパシティに余裕があるのであればさらにもう1社複業先を増やすといった柔軟な複業をすることが大事です。

複業時間割を作成する

3つの自己管理を踏まえた上で、複業をはじめるときに大事なことは「**複業時間割を設計する**」ことです。いつ、どれくらいの時間、どのようなスケジュールで複業を行うのか、複業先を決める前に言語化しておくことが重要です。

スケジュールは複業先を決めてから、と先走りしがちですが、必ず複業を決める前に考えましょう。複業時間割を作成し、予め稼働可能時間や曜日などを想定しておくことで、複業希望先との面談時に担当者と業務の摺り合わせを円滑に行うことができます。これは自己管理をする上で鉄則です。何も決めずに面談に挑んでしまうと無計画な複業になってしまうのです。

また、前述したとおり、複業は金銭報酬やスキル報酬、感情報酬など本業では得られない報酬を得ることができる一方、心身が疲弊するリスクもあります。

実際に複業をはじめると熱意が先行し、あれもこれもと挑戦したくなりますが、本業の稼働時間や自身の理想と現実のライフスタイルと相談し、バランスを考慮したうえで取り組むことが大切です。

何をするにも慣れるまでが一番大変です。無理のない複業時間割を設計しましょう。

複業時間割とは、学生時代に誰しも見たことがある1週間のスケジュールのことです。

複業時間割を作るというのは、1週間のカレンダーの中で、どの時間帯を複業に費やすのか、を可視化する作業です。例えば、本業が終わった後の〈平日18時以降〉、週に〈2～3日〉程度、稼働する曜日は〈火曜日、水曜日〉で、1日当たり〈最大2時間〉、という形で作成します。この時間割を最初に決めることによって、本業と自身のライフスタイルに合わせた無理のない複業をはじめることができます。

人によって時間割の作り方はさまざまですが、6つの時間割パターンを紹介します。あくまで参考の型として、自分に合った時間割を見つけてみてください。

1 コの字型

90ページの図のようにカタカナの「コ」の文字のような時間割です。平日の朝（始業前）と夜（終業後）、休日の中で複業時間を設計するパターンです。本業で定時が決まっている場合には業務時間前後の時間を計画的に活用できるため、オススメです。

繁忙期や業務外のプライベートの時間も加味した上で複業の時間帯を想定して設計してみましょう。土日も最初は無理のない範囲で余裕を持った時間設計がオススメです。休日の片方は完全にオフにする、など自分の体調と向き合ってみてください。

2 イコール型

90ページの図のように記号の「＝（イコール）」のような時間割です。平日の朝（始業前）と夜（終業後）で複業時間を設計するパターンになります。コの字型との違いは朝と夜のみを複業時間に充てている点です。休日はしっかり休むというメリハリをつけてプライベートの時間を確保できる点で初心者にはオススメの時間割です。

複業に慣れてきて、もっと時間を増やしたい、もっと複業先を増やしたい、というときには、①のコの字型の時間割に変更することもできます。

3 モーニング特化型

文字通り、複業の時間帯をすべて朝に設定しているパターンになります。ライフスタイルが朝型の人には非常にオススメです。特に早朝は本業のＭＴＧが入ることも少なく、クライアントからのメールや同僚からのメッセージ通知が来ることは多くないでしょう。

1日の中で最も生産性高く活動することができるのが朝だという人にはもってこいの時間割です。本業での残業や業務終了後のプライベートの時間の確保もしやすいため、平日のメリハリをつけた生活が理想の場合はこちらがオススメです。

4 夜行性型

こちらは③のモーニング特化型とは逆で、本業の業務時間の終了後に複業時間を設定しているパターンです。

いわゆる「夜型」の人はこの時間割になる傾向があります。朝はゆっくりしたい、本業の始業が早い、読書などインプットの時間に充てたい、子どもの保育園送迎がある、など朝に用事ややりたいことを予定する場合は、夜行性型をオススメします。

基本的には本業の業務時間終了後に複業を行うことになり、これをあらかじめ時間割として設定することで、日中は常に生産性を意識した生活を送ることもできるでしょう。不必要な残業や夜遅い時間の打ち合わせも意識的に避けることができます。

ただ、夜行性型だからといって深夜まで際限なく複業をし続けることを意味するわけではありません。何時に就寝するといったマイルールもあわせて決めることで自己管理を意識した時間割に仕上がります。

5 フレックス型

本業がフレックス制をとっている場合、本業の柔軟性のあるスケジュールに合わせた自由な複業時間の設定ができるでしょう。複業先に訪問して仕事をするパターンや決まった時間に複業先との定例MTGがあるパターンではフレックス型がマッチすると思います。

前提として、複業の業務は、本業の就業時間外に行うものです。たとえチャットを返すだけだとしても、本業の勤務先から給与をもらい、働いている時間内に、自分自身の複業時間を使うことはできません。このフレックス型は、本業がフレックス制を採用しているなど就業時間を自由に設定できる人のみに当てはまる働き方です。

また、複業時間を自由に設定できてしまうからこそ、オーバーワークや想定外のことが

複業時間割

① コの字型

	月	火	水	木	金	土	日
〜9:00		0.5時間	0.5時間		0.5時間		
9:00〜12:00							
12:00〜15:00						3時間	
15:00〜18:00							
18:00〜		0.5時間		0.5時間			

② イコール型

	月	火	水	木	金	土	日
〜9:00	0.5時間	0.5時間	0.5時間	0.5時間	0.5時間		
9:00〜12:00							
12:00〜15:00							
15:00〜18:00							
18:00〜	0.5時間	0.5時間	0.5時間	0.5時間	0.5時間		

③ モーニング特化型

	月	火	水	木	金	土	日
〜9:00	1時間	1時間	1時間	1時間	1時間		
9:00〜12:00							
12:00〜15:00							
15:00〜18:00							
18:00〜							

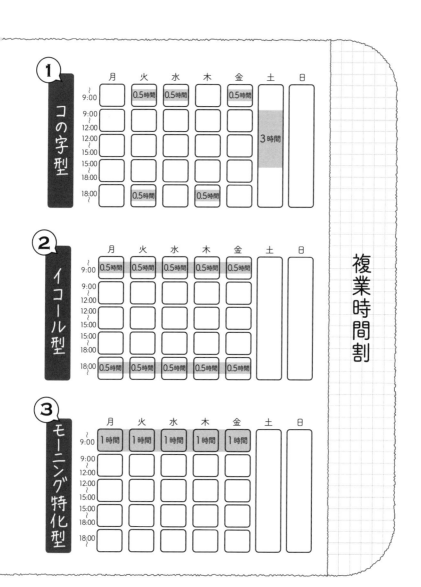

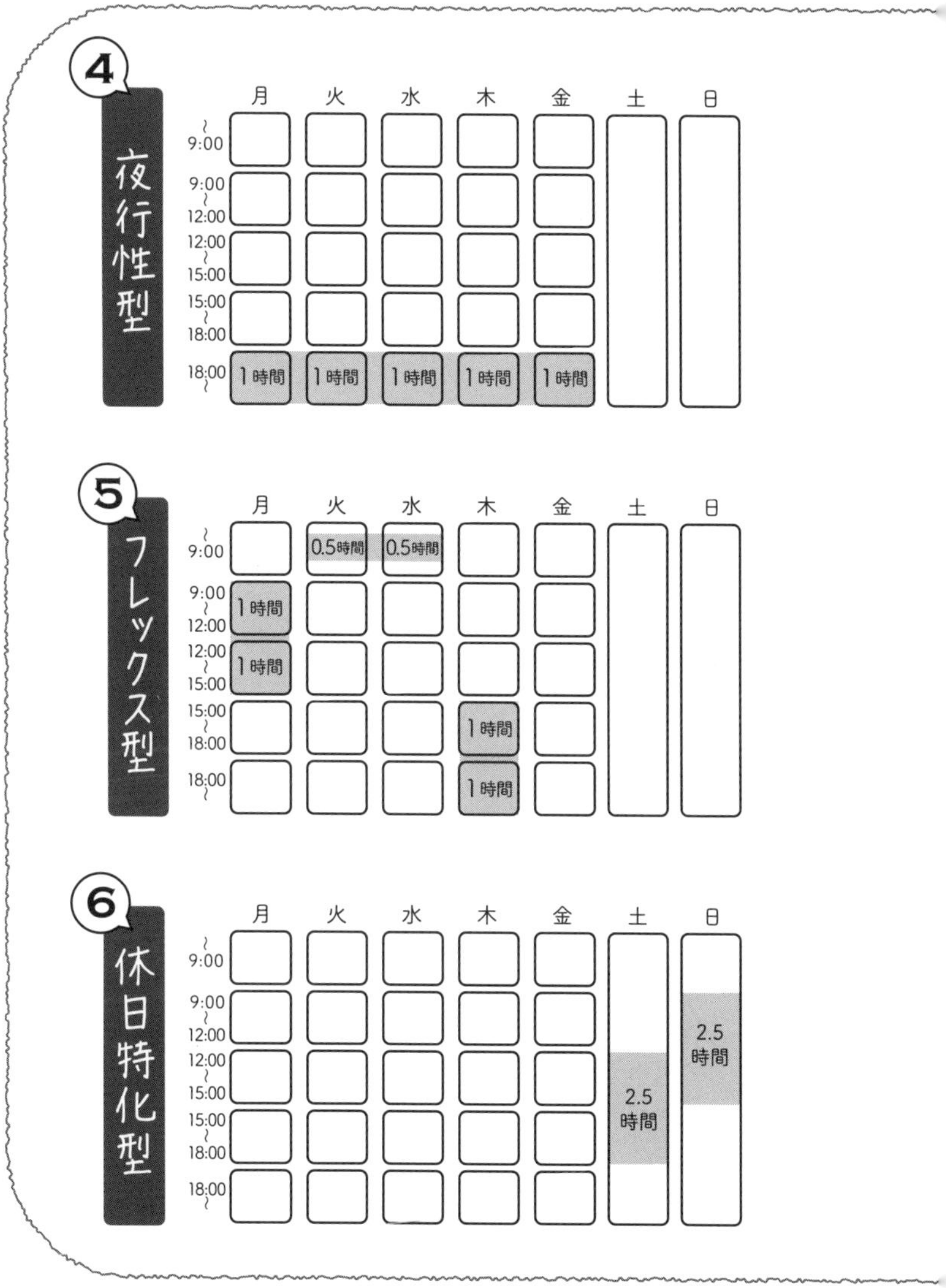
④
夜行性型
月 火 水 木 金 土 日
〜9:00
9:00〜12:00
12:00〜15:00
15:00〜18:00
18:00〜
1時間 1時間 1時間 1時間 1時間
⑤
フレックス型
月 火 水 木 金 土 日
〜9:00
9:00〜12:00
12:00〜15:00
15:00〜18:00
18:00〜
0.5時間 0.5時間
1時間
1時間
1時間
1時間
⑥
休日特化型
月 火 水 木 金 土 日
〜9:00
9:00〜12:00
12:00〜15:00
15:00〜18:00
18:00〜
2.5時間
2.5時間

発生してしまう可能性があるため、初心者には向かない時間割になります。本業がフレックスだとしても慣れるまではチャレンジしないことも1つの英断だと思います。

6 休日特化型

最後は、休日特化型という土日のみを複業の時間に充てるパターンです。平日は本業やプライベートの時間として、土日のみで複業をするという時間割になります。

土日は複業先も営業時間外であるケースがほとんどです。もし複業中に何か聞きたいことがあっても気軽に連絡をすることができず、レスも休み明けになることがほとんどでしょう。そのためこの時間割を適用できるか否かは職種や複業先でのミッションやプロジェクトに左右されます。

しかし、デザイナー、クリエイターなど成果物が明確にあり、チームではなく個人でアウトプットを出していく職種の場合は土日にしっかり時間を使うことができるため、人によっては休日特化型が最適というケースもあります。すべてに当てはまりますが、自身の職種や仕事の進め方にマッチした時間割を選ぶことが重要です。

5 複業先を複数の方法で探す

ここからは実際の複業先の見つけ方について、複数の方法を紹介していきます。方法は大きく分けて4つあります。1つ目は、リファラル（紹介）で複業先を探す方法です。2つ目は、業務委託案件を取り扱っている人材紹介サービスに登録し、紹介エージェントとの面談を経て、複業先を紹介してもらう方法です。3つ目は、複業のマッチングプラットフォームサービスに登録し、スカウトを受け、興味のある複業先にエントリーをする方法です。最後に4つ目は、SNSでの発信やDMで複業先を探す方法です。

それぞれの特徴やメリット、デメリットについて整理していきます。

1 リファラル（紹介）

リファラル（紹介）とは、**文字通り、複業先を自身の身近な方から紹介してもらう方法です。**リファラル（referral）には、「推薦」や「紹介」という意味があり、一般的には採用活動などで社員が知人を採用候補者として社内に紹介することとして知られている言葉です。複業でもリファラルという考え方は非常に有効です。

複業をはじめるときに整理した目的や自身のスキルを活かしてどのような複業ができるか、どんな課題を解決することができるのかを知り合いに伝えることで、複業候補先の企業を紹介してもらいましょう。もし、自身のネットワークの中に経営者などがいるのであれば、直接連絡をして複業で参画することができるか相談をしてみるのも1つの方法です。

このような形で縁故で複業先を探すメリットとデメリットを整理していきます。

メリットとしては、**複業人材も複業人材を受け入れる企業もお互い信頼できる人からの紹介であるため、一定の安心感が担保されている中で出会うことができる点**です。

初めての複業は誰だって不安で、心配なことも多くあると思います。いくら準備をしてイメージを膨らませていても、初めてのことで不安になるのは当然です。その中で、知人からのお墨付きをもらった状態かつ、すでに一定の関係がある中で複業ができることはどの方法よりもアドバンテージが大きいでしょう。

また、複業をはじめてから、もし何か気になることなどがあれば紹介元に相談することもできます。私も最初の複業はリファラルではじめました。出会いの時点からすでに信頼と安心感があり、組織に馴染むスピードも早かった記憶があります。

デメリットについてもお伝えします。前提として、知人からの紹介となるため、人脈というネットワークが必要になります。そして、紹介を依頼して承諾いただいたとしても、紹介元である知人がアクションを起こさない限り何も生まれません。

自力でできることに限界があり、他力本願になってしまうという点でデメリットがあります。せっかく複業の目的・目標で定めた複業スケジュールや期限を自分のペースやタイミングで実現できないもどかしさもあるかもしれません。そのため、他の方法と同時進行で進めていくことが得策かもしれません。

以上、リファラルでの探し方を紹介しました。なかにはメリットやデメリットは理解できても、知人に紹介を依頼することは気が引ける人もいるでしょう。紹介を頼んで断られたらどうしよう、という感情もあるかもしれません。

しかし、あなたには複業をする明確な目的・目標があり、複業を通して実現したい理想の姿があります。その想いを伝えたときに、背中を押してくれそうな人はどなたですか？思い浮かんだ知人にまずは相談してみることからはじめてみてはいかがでしょうか。

2 人材紹介

転職をサポートしてくれる人材紹介サービスはイメージしやすいと思いますが、複業における人材紹介サービスも複業ニーズの高まりに呼応するように増えています。人材紹介での複業の探し方は、**業務委託案件を取り扱っている人材紹介サービスに自ら登録し、紹介エージェント（代理人）との面談を経て、複業先を紹介してもらうという流れです。**

一般的には、人材紹介会社のサービスページから会員登録し、エージェントからの連絡を待つ形になります。

エージェントから面談の依頼があれば、自身のキャリアやスキル、実績にを伝えて希望に合った複業案件の紹介を受ける形で複業候補先と出会います。

人材紹介のメリットは、エージェントのサポートがある点です。サポートとは、自分の目的に合った複業案件の紹介はもちろん、成約後の複業先とのコミュニケーションの調整役も含まれます。契約書の締結や請求管理などを代行してくれるケースもあるため、効率的な案件獲得や、事務的な作業を任せたい場合は非常にありがたい存在になるでしょう。

あわせて、報酬の金額交渉もエージェントが代行します。お金についてなかなか言い出せない場合は、エージェントに意向を伝えることでスムーズに納得のいく契約まで辿り着くことができるでしょう。契約期間中の金額交渉も同様です。想定より工数が増えてきたときなど我慢せずにエージェントに伝えて交渉をしてもらうことで、複業をストレスなく継続することができるでしょう。


デメリットとしては、各人材紹介会社のエージェント数が限られているため、会員登録したからといって必ず連絡が来るわけではない点です。

非常に多くの候補者（キャンディデイト）を抱えている大手人材紹介会社では倍率が高く、案件が紹介される確率は低くなります。案件を紹介されるか否かはエージェントの持つ案件数や注力獲得案件の種類、社内の人数規模、サポート体制などさまざまな要因によって未知数な部分が多く、他力本願にならざるを得ません。

また、人材紹介会社のビジネスモデルは、依頼企業に人材を紹介して成約すると成果報酬という形で金額が依頼企業から支払われるというものです。つまり、依頼企業は成果報酬を支払って採用しているわけですから、その成果報酬額の分だけ期待値が高まります。

例えば、成果報酬額が１００万円であれば、当然ですが１００万円分の期待値（元を取ろうとする、とでも言い換えられます）があります。成果などもシビアにジャッジされる点は初めての複業だと過度なプレッシャーがかかる可能性があるでしょう。

個人的には、複業に慣れてきてから、複業で実績を積んだ上で人材紹介会社に登録するという手順を推奨しています。既に際立った実績（例えば、新規事業で有名なサービスを立ち上げた、など）がある人や市場価値の高い職種（エンジニアやＤＸ職など）の人はすぐに登録してみるのもよいでしょう。また、基本的には金銭報酬を目的とした複業が対象、かつ、依頼企業は成果報酬を支払って採用するため、感情報酬やスキル報酬を得るための複業には向かない傾向にあります。

初めて複業に挑戦する人は苦戦するかもしれませんが、棚卸しした自身のスキルと実績、性格などパーソナルな部分とも相談しながら、１つの選択肢として考えておきましょう。

3 マッチングプラットフォーム

続いては、WEB上のマッチングプラットフォームに登録し、企業や団体から複業のスカウトを受け、自身の興味のある複業先にエントリーをすることで複業をはじめる方法です。転職でもスカウトサービスなどが多く存在しているように、複業においてもマッチングプラットフォームがあります。

私の会社が運営する複業人材と企業や自治体をマッチングするプラットフォーム「複業クラウド」も含まれますが、近年の複業ブームに合わせて増えています。

マッチングプラットフォームは、企業からスカウトを受けることができる「**ダイレクトリクルーティング型**」とサイトに並ぶ求人に対して応募する「**エントリー型**」の二つのパターンがあります。

マッチングプラットフォームを活用するメリットは、自ら能動的に複業先と出会うことができる点です。自ら気になる複業候補先にエントリーし、自身をアピールすることで複業のスタートに近づくことができます。また、自分の努力次第でスカウトを受ける可能性を高めることができるのも特徴です。

人材紹介よりも企業がプラットフォームに支払う単価自体は少額であることが多いため過度な期待がかかることがなく、感情報酬やスキル報酬などを目的とした複業にも挑戦しやすいという傾向もあります。職種特化型や全職種に対応した総合型、地方特化型など特異性を持つサービスもあります。

デメリットを挙げると、当然ですが自己の努力と自己責任で複業をはじめることになるため、自分の努力次第で目的を達成するために高みを目指すこともできれば怠けてしまうこともあります。

また、採用面談や契約書の締結、報酬交渉なども自分で行うため、事前に知識や流れを理解しておく必要があります。

複業をはじめるとき、まずは複数のマッチングプラットフォームに登録することが無難です。いずれも共通して、プラットフォームに登録するタイミングで自身の経歴やスキルを明記する必要があり、情報が不足していたり、希望する複業に即していない記載をしていたりするとマッチングや応募通過率は格段に下がってしまいます。

読者の皆様は、本章で説明したやり方で複業の目的・目標を決め、スキルを可視化し、プラットフォームに登録をしていけばクオリティに問題がないためご安心ください。特に、自分は何ができて、どんな課題解決に自身のスキルを活用することができるのかをしっかりとアピールすることで採用側の企業もあなたに注目するでしょう。

4 SNS

最後に、TwitterやFacebookなどのSNS（Social Networking Service）での**複業活動に関する発信をしたり、気になる会社や経営者にDMを送ったりすることで複業先を探す方法**です。

近年SNSは日常的に触れる欠かせないツールとなってきました。ビジネスでもSNSは頻繁に活用します。複業を開始したことや複業先を探していることなどをSNSで発信することで、フォロワーの中で複業人材を探している企業や人材不足の企業で働く人がその発信を見て声をかけるパターンも往々にしてあります。

その逆に、自ら積極的に気になる企業や経営者にDMを送ることで複業につながるという可能性も大いにあります。

メリットとしては、ＳＮＳは基本的には無料で活用できるサービスであるため、複業人材側も企業側も紹介料などの金銭が発生することなく、**期待値と貢献度のギャップが生じない**形でスタートできる点が挙げられます。また、自身の気になるサービスや地域、自治体やスポーツチームなどがあれば自由にコンタクトをとり、出会うことも可能です。

非金銭報酬の複業をはじめやすいやり方もＳＮＳを活用した探し方です。各ＳＮＳの利用規約に則った適切な使い方（アカウント停止基準などに違反しない使い方）で有効的に複業先を探してみましょう。

デメリットは、ＳＮＳアカウントを持っていないもしくは、ＳＮＳは完全にプライベートのツールとして分けている場合はこの手法を活用することが難しい点です。そして「３マッチングプラットフォーム」のデメリットでもお伝えしたとおり、自己の努力・自己責任となるため採用面談や契約書の締結や報酬交渉なども自分で行うことになります。

私も経営者として日々多くの採用候補者の方とお会いする機会をいただいていますが、ＳＮＳで直接連絡をいただき採用に至ったケースもあります。複業でも正社員でもインターンでも働き方は問いません。ＩＴが普及し、誰もがインターネットの力で自由につながる時代になったからこそ**企業と個人との出会いも多様化**しています。

受動的に複業先からのコンタクトを待つだけでなく、ＳＮＳなどを活用して能動的に出会いにいくという方法も増えてきています。もちろん複業などの個人のビジネス的発信を厭わない、など条件はあるため、ＳＮＳに明るい人は挑戦してみてもよいでしょう。

いかがでしたでしょうか。本書では４つの探し方をご紹介しましたが、複業先は複数の方法を掛け合わせて探してみてください。すぐに効果が出なくても、以前登録したプラットフォームから急に連絡が来たり、過去のＳＮＳ発信を覚えてくれていた知人が複業先を紹介してくれたりなど、いろいろな場面やタイミングで複業先との出会いがあります。出会いを増やすためには出会うためにどれだけ努力できるかにかかっています。

そして、理想の複業先と出会ったらスムーズに複業をはじめることができるように、準備をしておくことが必要です。

本章では**「複業をはじめるときに大事な5つのこと」**について説明をしました。まずは、複業の目的、目標を決めることの大切さと決め方をお伝えしました。そして、自分にスキルのハッシュタグをつける方法について説明しました。

本業の就業規則を必ず確認するという自己防衛についても説明し、実際に複業がスタートした後のことを想定した複業時間割の設計方法を複数パターン紹介しました。

最後に複業先の探し方についてお伝えし、いよいよ理想の複業に向けて準備は万全に整ったと思います。

次章以降では、実際の事例や複業で活躍する人の特徴などを解説していきます。

複業先を複数の方法で探す

1 リファラル

メリット
信頼と安心感のある複業ができる

デメリット
自分でできることに限界がある

他の方法を試しながら同時進行がおすすめ

2 人材紹介

メリット
価格交渉含めたサポート体制

デメリット
成果報酬分の期待値が高い

複業の実績を積んだ上で登録がおすすめ

3 マッチングプラットフォーム

メリット
自ら気になる複業先と出会える

デメリット
価格交渉や契約などを自分で行う

まず登録し、案件を見てみる

4 SNS

メリット
無料で自由にコンタクトが取れる

デメリット
SNSの作成や運用が必要

SNSアカウントを持っている人は一つの選択肢に

第2章
複業で挑戦できる職種9選

本章では、代表的な職種を例に、職種別で具体的にどのような複業ができるのか、働き方や報酬の目安、スキルのハッシュタグ例などを紹介していきます。

1 営業職の複業

法人営業の複業とは？

営業職において、よく挙げられるのが法人営業における複業です。具体的には、アポイント獲得、商談実施などがあります。複業先のサービスに興味のある企業のアポイント獲得を担当し、実際の商談は複業先の正社員と共に実施するケースや、アポイント獲得から商談まですべて1人で実施するケースなどさまざまです。

アポイント獲得では、アポイント獲得ベースでの成果報酬（1アポイントあたりの単価報酬）が一般的です。比較的自分の好きな時間帯で働くことができるため、土日や終業後に複業をすることも可能です。

商談まで含まれる場合は、平日の営業時間内での時間確保が必要となることが多いです。オンラインでのやりとりが基本となるため複業人材を採用する企業側としては、場所を問わず依頼ができる点でメリットがあります。地方企業が都心で営業活動をしたい場合、都心の人材を複業で採用して、エリアの開拓を任せるといった営業方法も可能です。

法人営業の複業のメリット

法人営業における複業のメリットは、本業の企業の看板（肩書き）を借りることなく、自分の営業力の腕試しをすることができる点です。

本業で取り扱っている営業商材とは全く異なる商材で営業をしてみることで、自身の営業力を認識できます。さらに足りない部分を複業で経験し、補うことで、リスキリング、営業力向上にもつながるため、本業での営業活動に還元することもできるはずです。金銭報酬につながり、非金銭報酬であるスキル報酬にも直結する一石二鳥の複業です。

営業企画の複業とは？

続いて、営業企画での複業についてです。営業企画では、複業先の営業戦略の組み立てから具体的な営業手法をアクションにまで落とし込むような営業企画全般の支援を複業で行うイメージです。

複業先のサービスの売り上げ向上のための営業戦略を経営者や営業部長と策定し、営業ツールの選定や営業管理ツールの構築などを行う効率的な営業のためのサポートなどが、ニーズとしても多くあります。

複業人材を採用する企業側としては、経験者のアイデアを取り入れることで、最短距離で、かつ成功確率の高い営業戦略を立案できるというメリットがあります。

営業企画の複業の働き方

日々営業力を培っていく中で、自身のステージアップのため、より上流の営業企画の経験を積みたいという願望を持つ人は多くいると思います。そんなときに複業で経験を積むことで、自身のスキルへの自信や経験も身に付くでしょう。現職で営業企画を担当している人は、違う商材を複業で扱うことで新しい発見やスキルアップにもつながります。

働き方としては、複業先と打ち合わせがある場合は基本的に複業先の営業時間内となりますが、思考や設計をする時間は自分の時間として終業後や土日に実施することが可能です。

営業企画の場合の報酬は、月額固定で報酬を受け取ることが一般的です。複業先に常駐するというよりは、週1～2回ほどの打ち合わせ＋戦略や施策を策定する作業時間＋オンラインでのチャットやメールでのやり取り、という関わり方をイメージしましょう。

複業で営業職のスキルアップを

数年の間に営業手法は大きく変化しています。

対面での営業も継続して存在しながらも、オンラインで全国どこにでも営業することができるようになり、商材にもよりますが、全国各地が「商圏」となりました。

つまり、企業として売り上げや利益を生み出していくための営業戦略や手法もアップデートを余儀なくされている現代において、営業経験のある外部の有スキル者・有人脈者の市場価値が高まってきたといえます。

営業職という非常に人口の多い職種の中で、抜きん出た市場価値を持つためには、汎用性と再現性のあるスキルが不可欠です。将来的に、自社の商材しか売れない営業では、先行き不透明な時代において市場価値が相対的に下がっていくでしょう。

そのため、営業職の人こそ早い段階でこの事実に気付き、さまざまな商材を扱うことができる再現性のある営業力と経験を身につける必要があります。

さらに売るだけではなく、売れる組織、売れる戦略を組み立てることができる営業企画のスキルも複業で養うことで、市場価値の高い営業人材になれるでしょう。ぜひ参考にして複業に一歩を踏み出してみてください。

2 マーケティング職の複業

商材や手法がカギとなるマーケティング職の複業

マーケティング職は、誰を対象にマーケティングを行うのか、その中でもそれぞれ広告運用（マス広告、広告、ＳＮＳ）やＳＥＯ（Search Engine Optimization、検索エンジン最適化）などのコンテンツマーケティング、記事作成などのライティングまで幅広い仕事があることが特徴です。

第1章でもお伝えした通り、マーケティング職の場合は、どのような商材（ターゲット層、商材単価、特徴全般）をどのような手法（マス広告、広告、SNS）で、どれくらいの予算でマーケティングしたかを徹底的に具体化することでスキルをハッシュタグ化し、企業に再現性をアピールすることが重要です。

広告運用の複業とは？

マーケティング職の複業として、**企業の商材やWEBサービスのユーザー獲得、売り上げ拡大を目的とした広告運用**が挙げられます。すでに複業先が運用をしている広告の効果を高めるために数字を分析してレポートを出したり、実際に運用を代行し広告効果を最大化したりするなどの複業が一般的です。

専門的かつ具体的になりますが、例えば、リスティング広告などの広告出稿におけるクリック単価を下げたり、ランディングページからコンバージョンまでのコンバージョン率を上げたり、SNS広告でのバナーを複業先のデザイナーと連携しながらリニューアルして出稿したりする、など自身の専門的なスキルや経験を活かした複業が可能です。

また、広告などを出したことがない企業に対して、予算を経営者と先に決め、どの広告媒体にどれくらいの予算を投下し、どれくらいの売り上げにつなげるのか、あるいはそもそも広告を出さずSNSなどお金のかからないマーケティング手法を提案・運用する、などマーケティング戦略から戦術の策定といった上流の仕事に複業で携わることも可能です。

SNS運用やSEO対策の複業とは？

SNS運用に手が回っていない企業では、Twitter や Instagram などの投稿やアカウント運用マニュアルを作成するなどの複業を募集するケースもあります。

SEOにおけるメディア運用のディレクションや実際にメディアの記事を作成するような複業も増えています。SNSなどが普及し、マーケティング手法も多様化していく中で、企業におけるマーケティング人材の需要も年々高まっているのです。

特に、マーケティングに予算を多く割くことができないベンチャー企業や地方中小企業、そして、最先端のマーケティングノウハウや民間では当たり前に使われるマーケティング手法などを導入できていない地方自治体などに、非常に高い採用ニーズが発生しています。

マーケティング職の複業の働き方

マーケティング戦略の場合の報酬は月額固定での報酬を受け取ることが一般的です。広告運用の場合も月額固定の報酬が多いですが、なかには運用予算のX%といった報酬形態をとる企業もあります。基本的には、培ってきた経験やノウハウなどを時給という時間単位で切り出すことは現実的ではない（ノウハウがある人であれば、ノウハウがない人よりも短い時間で答えを導き出すことができるから）ため、複業をする場合の金銭報酬においては、月額固定の形態で契約することをオススメします。

働き方に関しては、基本的には場所を選ばないオンライン上での作業やチャット・メールでやり取りすることが一般的であるため、全国どこからでも参画できます。

複業でマーケティング職の再現性のあるスキルを

マーケティング職は自分の仕事の成果が獲得ユーザー数や売り上げ、フォロワー数など数字で明確に分かることが特徴であるため、**本業とは別に複業で自身のマーケティング実績をつくりたい人には非常にオススメ**です。

例えば、本業で消費者向け（toC）マーケティングに携わる人は、市場価値を高めるためのスキル・経験報酬を目的に、法人向け（toB）マーケティングに複業で挑戦してみてもよいでしょう。本業では広告の運用を担当していれば、マーケティングの全体戦略から設計することができる複業に挑戦してスキルの幅を広げてみてもよいでしょう。

マーケティング未経験の場合はＳＮＳ運用など身近に使っているサービスをビジネスとして運用してみることも可能です。ＳＮＳなど一見「正社員が担当しそうなこと」でも、猫の手でも借りたい人手とノウハウ不足の企業や自治体にとっては「複業人材の手を借りたいこと」になるのです。

3 エンジニア職の複業

言語の数だけニーズのあるエンジニア職の複業

エンジニア職の複業はかなり以前から一般的でした。オンライン化が進む前からオンラインでできる複業としてニーズも高く、複業人口としても圧倒的に多い存在です。

エンジニアの種類も非常に豊富にあります。代表的なものだと、フロントエンドエンジニア、サーバーサイドエンジニア、アプリエンジニア、AIエンジニア、インフラエンジニア、ハードウェアエンジニアなどが挙げられます。また、**プロジェクトマネージャーやプロダクトマネージャー**も人材ニーズが非常に高く、複業でも人気のポジションになります。

一般的な複業での関わり方では、**複業先の開発プロジェクトにジョインし、仕様書作成など要件定義から入るケースや、実際にコードを打ち込んで形にする**ケースが一般的でしょう。当然ですが、自身が扱うことができる開発言語と複業先で使用する開発言語がマッチしているかが重要であるため、使用言語もスキルの1つとして自身にハッシュタグを付けて企業にアピールしましょう。

エンジニアとしての市場価値を高める

本業でエンジニアとして活躍する人は、複業ではプロジェクトマネージャーやプロダクトマネージャーに挑戦して、エンジニアとしての市場価値を高めることもオススメです。オールラウンダーのエンジニアとしてフルスタックエンジニアを目指す人は、本業で使われていない言語や役割を複業で経験することで理想に一歩近づくでしょう。

エンジニアとしてフリーランスなど独立を目指す人であれば、自分の腕1本でどこまでできるのか複業で腕試しをすることも1つの方法です。複業先で満足してもらえる実績を出せば、独立後に継続して顧客になってもらうこともできます。

複業先の選定は慎重に

エンジニア人材の需要は高まっており、企業側にとって正社員で優秀なエンジニアを採用することは至難の業です。エンジニア専用の人材紹介サービスが爆発的に増加するほど需給バランスが合っておらず、日本国内のみならず海外でも人材獲得競争が発生しています。そこで、正社員採用という形ではなく、複業という形で即戦力のエンジニアを自社に集める動きが増えています。

引く手数多の職種だからこそ、選択肢が多くなりすぎたことで、自分に合った複業先、開発環境、組織を見極めることが難しくなっています。

エンジニアこそ複業の目的を明確に設定し、どのような自分軸で開発案件を選ぶのかが重要です。例えば、本業では金融システムの開発をしているものの、複業では自分の趣味であるスポーツに関わるサービスを開発する、という軸もあるでしょう。

エンジニア職の複業の働き方

複業での報酬は時給で設定されるケースがほとんどです。時給はスキルや経験年数などにも左右され、3,000円~10,000円など幅広くあります。営業やマーケティングと違い、直接売り上げなどの数字に表われにくい仕事であるため、時給が高ければ高いほど開発の進捗やスキルをよりシビアに判断されます。

そのため、適正な価格で複業をはじめましょう。

働き方はオンラインで開発し、チームメンバーとはチャットでやりとりをするケースが一般的です。なかには常駐を希望する企業もあるため、面談時に認識の齟齬がないように自身の複業時間割を意識しながら確認をしましょう。

複業でエンジニア職の実績を

最近ではエンジニアを目指す人に向けたプログラミングスクールも増えています。座学でプログラミングを学び、エンジニアにジョブチェンジを狙うケースが多く、エンジニアに転職を希望する人も非常に増えています。オススメは**複業で実績を積み、自身のポートフォリオ（開発案件）を1つ以上増やす**ことです。

座学や自身でポートフォリオを作成するだけでは転職に有効な実績とまでは言えず、経験者として判断されないことがほとんどです。せっかく複業がしやすい職種であるため、金銭報酬だけでなく、スキルや経験、キャリア（ポートフォリオ）報酬を目的に複業を行い、自身の市場価値やスキルの向上に挑戦してみてはいかがでしょうか。

座学の後は複業というビジネスの場で実践を重ねることで理想のキャリアを自ら創っていきましょう。

スキルのハッシュタグ例
― 営業職・マーケティング職・エンジニア職 ―

営業職
スキルのハッシュタグ例

#法人営業　#生産性ツール　#人事ツール
#製造業向け営業　#全業界向け営業　#経営者向け営業
#総務向け営業　#新規開拓　#深耕営業　#人脈営業
#営業企画　#営業戦略　#営業戦術　#リード獲得
#営業資料作成　#営業リスト作成　#営業効率化
#営業フロー策定　#営業支援ツール　#MAツール

マーケティング職
スキルのハッシュタグ例

#消費者向けマーケティング　#toCマーケティング
#toBマーケティング　#Z世代向けマーケティング
#シニア向けマーケティング　#高単価商材
#TVCM　#instagram運用　#TikTok運用
#SEO対策　#ライティング　#経営者向けマーケティング
#リスティング広告　#ポスティング　#バナー制作
#Facebook広告　#タクシー広告　#リード獲得
#ブランディング　#メルマガ

エンジニア職
スキルのハッシュタグ例

#フロントエンドエンジニア　#サーバーサイドエンジニア
#アプリエンジニア　#AIエンジニア
#インフラエンジニア　#ハードウエアエンジニア
#CSS　#JavaScript　#AWS　#MySQL
#Ruby on Rails　#React Native　#Nest.js
#C++　#Switt　#プロジェクトマネージャー
#プロダクトマネージャー　#データアナリスト
#CTO経験　#LT会運営

4 デザイナー職の複業

ニーズが高まるデザイナー職の複業

デザイナーの複業もエンジニアと同様に以前から人気の職種です。単発でのデザイン業務などタスクを切り出しやすい案件も多くあるのが特徴です。

ＷＥＢや空間、誌面でのデザインなど多岐にわたるデザイナー職ですが、近年ではＷＥＢデザインのニーズが特に高く、複業案件も増えています。

ＷＥＢサービスのＵＩ・ＵＸデザイン、サービスページのデザイン、グラフィックデザインなど複業先が求めるデザインを自身のスキルを活かし、形にしていく複業になります。多くがオンラインで完結することができるため、全国どこにいても複業をすることが可能です。最近では**TikTokやYouTubeなどの動画撮影や動画編集**などを自身のカメラや編集ソフトを活用して行う複業も増えています。

マーケティング手法の多様化やＩＴサービスが増えたことにより、デザインでの差別化が必要とされている背景から、デザイナーの複業ニーズはさらに高まっています。

中長期から単発まで関わり方はさまざま

複業として中長期的に企業のデザイン業務に関わるケースも多くあります。企業のデザインコンセプトを策定したり、常日頃から発生するデザインの成果物のクオリティに責任を持ちながらデザインを管理したりするような複業もあります。

責任のあるポジションで複業をすることできっとやりがいのある仕事になるでしょう。

また単発でデザインを作成する複業も非常に人気です。例えば、営業資料のデザインやランディングページのデザイン、広告で使用するバナーや記事などに必要なサムネイルの作成など、複業だからこそできる仕事が多くあります。

複業で別ジャンルのデザインに挑戦を

フリーランスデザイナーとして独立を目指す人やデザイン事務所の設立を目指す人には本業以外での実績作りとしての複業がオススメです。独立するしないにかかわらず、今の本業とは別ジャンルや別業界のデザインに挑戦してみるのも価値を高めるために非常に有効です。

例えば、本業でＩＴベンチャー企業のデザイナーをしている場合、地方のメーカーなど異なるジャンルの企業でデザイナーの経験を積むことで汎用的かつ再現性のあるデザインスキルを身につけることができます。他にも、自治体などの行政のデザイン案件で実績を積むことで仕事の幅が広がり信用力も獲得できるでしょう。

独学でデザインを学ぶケースも多いと思いますが、間違いなく複業でのデザイン経験は有効です。個展などを開くために自己完結でアウトプットを出し続けるなどの目的でない限りは、ビジネスでのデザイン経験を積むことで、ビジネスで必要とされるデザインとは何なのか、今足りていない観点は何なのかを知ることができるでしょう。

デザイナー職の複業の働き方

報酬は、デザインの成果物の納品ベースでの成果報酬で支払われるケースが一般的です。単発ではない中長期的かつ継続的な案件であれば、時給や月額固定のケースもあるため、案件やミッションに応じて報酬形態を調整することが必要でしょう。

関わり方としてはオンラインが多いです。デザインの成果物を出すことがベースであるため、休日など時間や場所を選ばない働き方ができる点はメリットかもしれません。

企業以外からも必要とされるデザイナー

近年ニーズが高まってきているデザイナーの複業として、自治体による広報誌のデザインやリニューアル、学校のパンフレットのデザイン、スポーツチームのＳＮＳ発信におけるデザインコンセプト設計や動画編集など、**企業以外からもデザイナーの複業ニーズが高まっています**。

幅広い団体やジャンルでデザインの必要性と重要性が高まったことによってデザイナーの複業での活躍場所が広がっています。

5 広報職の複業

社外発信の要となる広報職の複業

企業の広報戦略、ブランディング戦略の策定から具体的な認知拡大に向けたアクションプランの策定などが一般的な広報の複業です。

近年のＳＤＧｓ（持続可能な開発目標［Sustainable Development Goals］）に向けた取り組みなど社会貢献活動を社外に発信し、企業ブランディングをしていくために広報職の必要性がさらに増しています。

今まで広報に注力をしていなかった企業も、広報人材を求める傾向にあります。そこでいきなり正社員として広報人材を採用する前に、複業という形で広報人材の力を借りるケースが増えています。広報人材は自身が培ってきた広報ノウハウやメディアリレーションを活用して即戦力として参画することができます。

多岐にわたる広報職の複業とは？

より具体的な複業の業務内容は、企業の発信するプレスリリースの作成やアンケートやデータの収集や分析、メディアへの情報提供から取材の獲得、イベントやユーザーコミュニティの設計や運営、企業の保有するＳＮＳ公式アカウント（Twitter や Facebook など）の定期的な更新、社内を活性化させるための社内広報、ＨＰの情報更新など、様々です。

広報の業務はタスクやプロジェクト毎に細分化することができるため、ミニマムに複業をはじめやすいことも特徴です。例えば、プレスリリースを作成するという単発のニーズや、広報戦略の壁打ちや相談を週に1回だけお願いしたいという中期的なニーズまで幅広くあります。

スキル報酬、経験報酬、感情報酬×複業広報

本業以外で好きなサービスを世の中に広めるお手伝いをしたい、魅力を伝えたい、といった複業先の選び方も広報職ならではです。

今持ち合わせている自身の広報スキルは他社でも再現性があるのか腕試しをしたい、という複業の目的も歓迎されます。また、未経験から広報職にジョブチェンジをしたいとい

う人も増えている中で、複業で広報という仕事に触れてみて、本当に自分に向いているか、やりたい仕事なのか、経験してみるのも良いかもしれません。

中長期的な関係構築を目指す広報職の働き方

働き方としては、業務内容によって異なりますが基本的にはオンラインで週次の打ち合わせ+作業（資料作成やプレスリリース作成、情報更新など）が多いです。取材対応や記者との打ち合わせがある場合は、複業先のオフィスに出向いて対面で対応することもあります。

基本的に作業は自分の好きな時間に行うことができますが、**複業先の経営者の考え方や現在進行形で発生しているプロジェクトの進捗や将来の仕込みなど、未公開情報を含めた最新の情報に常に触れ続ける必要がある特殊な職種**です。可能な限り複業先の働き方に合わせ、コミュニケーションを積極的に行うことで早期に信用を勝ち取り、中長期的な関係を構築することが重要になるでしょう。報酬形態としては月額固定が一般的です。

広報業務の部分的な委託から全体的な委託まで幅広い依頼の仕方があり、かつ広報スキルや広報経験にも左右されるため、相場を紹介することは難しいですが、月額5万円から

30万円程度が一般的です。また、関わりたいサービスや業界で広報をしてみたい、という感情報酬を目的とした複業も多いのが広報職です。

ビジョンへの「共感」で複業先を選ぶ

自分の思い入れのあるサービスや好きなスポーツチーム、縁やゆかりのある自治体などの広報に携わることで得られる感情ややりがいがきっとあるはずです。未経験であっても想いがあれば感情報酬といった非金銭報酬で広報に携わることもできます。

複業の目的をしっかり整理した上で、自分がどのような商材やサービスであればより一層想いを込めて広報ができるのか、自己分析をして複業先を探すのも良いかもしれません。会社のビジョンや経営者の考え方にどれだけ共感するかを複業先選択の判断軸にするのも1つです。

プラットフォームなどを活用して広報案件を探すこともできますし、自ら積極的に企業やスポーツチームのＨＰに問い合わせを送ってみることで、運命の企業で複業をすることもできるかもしれません。まずは一歩踏み出すことからはじめてみてください。

6 人事職の複業

人材難の時代に求められる人事職の複業

人事職でイメージしやすい仕事は「**採用**」でしょうか。**複業で企業の採用に携わることで、非常に魅力的かつ責任のある業務を行うことができます。**

採用でも経験者（中途）採用、新卒採用、アルバイト採用、外国人採用と多岐にわたり年間を通じて採用を行っている企業も多く、常時複業案件があります。

採用支援には、複業先の採用戦略の策定や打ち手のアドバイスをするような全般的な支援から、採用媒体におけるスカウトなどの運用代行や求人出稿代行による候補者の母集団形成、エントリー数を増やすような支援まで幅広くあります。応募のあった採用候補者の書類選考やスケジュール調整などの支援も複業で行うことができるため、複業先の採用の上流工程から手を動かす部分まで幅広く携わることができるでしょう。

特に近年ではどの企業も悩んでいるエンジニア採用を複業人事が支援するケースも増え

ています。エンジニア専門の採用媒体の運用、エンジニアに強く訴求することができる求人の作り方やエンジニアコミュニティの作成・運用なども複業で携わることができます。エンジニアに限らず、人材難が続く日本において、人事は今後も圧倒的な人気を誇る職種になるでしょう。

人事のスペシャリストを目指す

本業で人事として新卒採用をメインミッションにしている場合は、複業で経験者（中途）採用やエンジニア採用に携わることで、採用におけるスペシャリストを目指すこともできるでしょう。経験者（中途）採用をメインにしている場合は、新卒採用や外国人採用に複業でコミットすることで採用のプロフェッショナルになれるかもしれません。大手企業で人事をしている場合は規模や採用予算の全く異なるベンチャー企業で複業をすることで、**大手企業とベンチャー企業という規模の異なる環境での採用を経験することができ、**本業にも活かすことができると同時に、汎用的かつ企業規模にかかわらずどこでも発揮することができる再現性のある人事スキルを獲得することができます。逆にベンチャー企業で人事をしている場合は、大手企業で複業をすることで、大きな予算を動かしながら採用を行う経験を積むことができるでしょう。

人事職の複業の働き方

働き方もさまざまですが、採用媒体の運用支援であればオンラインで完結する場合が多いです。**採用戦略など上流部分の設計などに携わる場合は複業先の人事チームの働き方に合わせた形になるため、柔軟な対応が必要です。**

前提として、しっかりと複業時間割を作成した上で、面談で働き方について摺り合わせをするようにしましょう。

採用は経営において非常に重要なミッションです。時には、打ち合わせの頻度が多くなったり、急な依頼が発生したりするケースも想定されます。人事の複業は慣れるまでは何社も掛け持つことはせずに、しっかりコミットできる社数（できれば余裕を持った社数）ではじめることをオススメします。案件が過多になって、（すべての職種に言えることですが）中途半端になると複業先や採用候補者に迷惑がかかり、最悪の場合は複業先の信用低下につながるリスクもあります。責任感をもって複業をはじめましょう。

報酬に関しては、月額固定で受け取る形がほとんどです。マーケティング職と同様に、自身の培ってきた採用経験や独自のノウハウを時給という時間単位で切り出すことは現実的ではありません。

金額は複業先の採用予算などによってさまざまですが、月額5万円から30万円ほどが一般的です。もちろん採用難易度や関わる工数によって上振れする可能性は十分ありますが、目安として参考にしてみてください。

未経験なら運用支援で実績を

人事未経験の人がジョブチェンジを狙って複業で挑戦するのも良いでしょう。

営業経験者や人とのコミュニケーションが好きな人には、人事職はマッチするかもしれません。何事もやってみないと分かりません。いきなり本業で異動願いを出す前に、まずは複業で挑戦してみることをオススメします。

その場合、まずは採用媒体の運用や書類選考などから参画してみてはいかがでしょうか。

採用戦略などの上流部分はかなり難易度の高い、経験者でなければ分からない領域になってくるため、運用支援など学びながら挑戦できる領域から複業をはじめてみることも一つの手段です。

未経験の場合はスキル報酬、経験報酬などの非金銭報酬を目的に挑戦しても良いかもしれません。業務に慣れてから挑戦する、採用が成功するまでは非金銭報酬で関わってみる、など基準を決めることも1つのやり方です。

採用以外の業務も複業で

人事制度の構築支援や研修の設計、労務のサポートなども人事の複業案件です。人事制度が未整備の企業に対して複業でアドバイスをしたり、企業のセキュリティ研修やコンプライアンス研修などの企画に複業で関わったり、社会保険などの労務事務のサポートを行ったり、本当に幅広い業務があるのが人事の特徴です。

だからこそ、今まで人事として何をメインミッションとして貢献したか、日常の業務であっても具体的にどのような業務を行ったのか、改めて今までの人事業務を棚卸しすることで、ピンポイントで困っている業務を企業から複業で依頼され、支援することにつながるかもしれません。ぜひ参考にしてみてください。

スキルのハッシュタグ例
— デザイナー職・広報職・人事職 —

デザイナー職
スキルのハッシュタグ例

#UI・UXデザイン #Webデザイン #グラフィックデザイン #3D・空間・プロダクトデザイン #広報誌デザイン #チラシデザイン #ブランディング #クリエイティブデザイン #クオリティチェック #ランディングページデザイン #バナー作成 #営業資料デザイン #サムネイル作成 #動画撮影 #動画編集 #フォトレタッチ #コンセプト作成 #LP作成 #ユーザーインタビュー #ロゴデザイン

広報職
スキルのハッシュタグ例

#広報戦略 #ブランディング支援 #社内広報 #IR #広報ガイドライン #HP更新 #プレスリリース作成 #データ収集 #データ分析 #広報資料 #メディアリレーション #情報提供 #取材同席 #記者会見 #インタビュー制作 #イベント設計 #ユーザーコミュニティ運営 #公式Twitter運営 #公式Facebook運営 #オウンドメディア運営

人事職
スキルのハッシュタグ例

#新卒採用 #経験者(中途)採用 #アルバイト採用 #グローバル人材採用 #人事制度策定 #ペルソナ設計 #勤怠管理ツール導入 #採用ツール導入 #エンジニア採用 #採用ツール運用 #採用代行 #採用戦略策定 #面談フロー構築 #社員教育企画 #労務 #給与計算 #保険手続き #年末調整 #福利厚生

7 カスタマーサポート／カスタマーサクセス職の複業

カスタマーサポート／カスタマーサクセス職とは？

カスタマーサポート、カスタマーサクセスも複業ニーズが近年増えている職種です。カスタマーサポートとは文字通りカスタマー（顧客）へのサポート、つまり顧客がサービスを利用する上で困ったときや疑問が発生したときに適切かつ丁寧にサポートに入ることで顧客満足度を最大化することがミッションになります。

カスタマーサクセスも発想としては非常に近く、カスタマー（顧客）のサクセスにコミットするために、顧客に寄り添い、サービスの効果的な利用をサポートし、サービスを購入した目的の達成（成功）に導くことがミッションとなります。

双方の違いをあえて説明するのであれば、カスタマーサポートは顧客からの問い合わせに対して「受動的」に対応する職種で、カスタマーサクセスは顧客の利用を促進し、効果的な活用を「能動的」に対応する職種と言えるでしょう。どちらも共通して消費者・法人向けにサービスを提供する会社には必要不可欠となります。

休日案件も多いカスタマーサポート職の複業

カスタマーサポートでの複業では、一時的に顧客対応全般の業務としてメールや電話などで顧客からの問い合わせに対して複業先のマニュアルなどからスピーディーに適切な回答をすることを求められます。

ＩＴの普及により顧客がＷＥＢからチャットで問い合わせをするケースも増えてきました。

最近では「チャットボット」という形で自動会話プログラムが組み込まれているＷＥＢページもありますが、完全に普及するのはまだまだこれからです。

また、企業の新製品がリリースされた際は対応マニュアルの作成から複業で携わったり、チャットボットの導入やシナリオ構築（自動応答するための回答パターンを用意する仕事）など上流工程から携わったりする機会もあるでしょう。

また、休日の顧客対応など複業だからこそ案件のある業務もあります。

カスタマーサポート職の複業の働き方

カスタマーサポートはメール対応であれば、基本的にオンラインで完結することが多いです。企業によっては、最初は正社員など管理者が近くで指導を行うこともあります。

報酬形態は時給か月額固定での金銭報酬が一般的です。**カスタマーサポートはビジネスで顧客対応をしたことがある人であれば、未経験でも挑戦しやすい職種となっています。**在宅でも対応できることから複業人口も多く人気の職種です。

顧客に寄り添うカスタマーサクセス職の複業

カスタマーサクセスでの複業は、顧客のサービス導入の目的に寄り添い、導入成功を達成するために、顧客や社内の営業担当と打ち合わせをするところから始まる形が多いでしょう。対象顧客は利用単価が比較的高い法人が多いです。

顧客の導入成功の定義はサービスによってさまざまではありますが、最終的なカスタマーサクセスの目標としてはサービス解約率を下げることに設定する企業が多いです。つまりいかに企業のルーティン業務の中にサービスを溶け込ませ、「なくてはならないサービス」になるかが目標です。新規顧客を獲得するよりも既存顧客にサービスを利用・更新し続けてもらう方がメリットが大きい場合もあります。カスタマーサクセスは直接的に複業先の売り上げや利益に貢献することができる重要な仕事と言えます。

具体的な業務としては、顧客のサービス利用状況を定量的・定性的に分析し、どのようにしたら利用を促進することができるか、効果的に活用してもらえるか、などの資料作成を行います。顧客との打ち合わせが入るケースも当然ありますが、メイン担当は正社員で、複業としてデータ分析や資料作成などで関わることも多いです。

もちろん1社だけでなく複数の顧客を担当することもあるため、自分が担当できる企業数の上限などは事前に面談で摺り合わせが必要です。カスタマーサクセスという部署が立ち上がっていない企業も多い中、経験者は複業として非常に高い市場価値を発揮します。

カスタマーサクセスは、サービス内のヘルプページを作成するなど人力ではない顧客対応方法もあれば、メールで利用を促進する対応のように、しっかり人力で顧客対応するパターンもあります。さまざまな方法を経験し、メリットもデメリットも知っている人の経験から導き出される事業設計ほど有益なものはありません。経験者は積極的に複業先を探してみると良いでしょう。

カスタマーサクセス職の複業の働き方

カスタマーサクセスはオンライン、オフライン双方の関わり方があるでしょう。複業先の顧客対応方法に準ずる形になると思います。資料作成や顧客データ分析などはオンラインで完結することができるため、業務内容の確認をして面談で摺り合わせをしてみると良いでしょう。

カスタマーサクセスは、営業経験者がネクストキャリアとしてジョブチェンジするケースも多くあります。まずは複業でカスタマーサクセスという仕事を経験してみて、自分の本来やりたいことにマッチしているのか確かめてみるのも良いかもしれません。

8 管理部門全般の複業

管理部門の複業とは？

総務や事務職などの管理部門も、人手の足りない企業や未整備の企業において複業ニーズが非常に増えています。

管理部門での複業と聞いてもあまりイメージがわかない人もいるかもしれません。管理部門については、**特にベンチャー企業などで募集が多く、創業期で正社員を雇う余裕がない中で、複業という形でピンポイントにサポートして欲しいと考える企業が多いのが現状です**。

管理部門は会社を支える心臓部のような部署です。直接売り上げを生み出す営業部門のような働き方ではありませんが、企業が円滑に活動できるよう、社員が気持ちよく仕事ができるように立ち回る、欠かせない存在です。

総務・労務の複業の働き方

管理部門の中で総務や事務職の複業としては、日々発生する書類の作成や送付、営業データの入力代行、社内研修やセミナー・イベントの運営サポート、資料やデータの整理格納など数多くの業務があります。

日々の業務の中で当たり前のように行っていることでも、総務や事務職のいない企業では当たり前ではなく、**誰かが兼務をしているケースがほとんど**です。複業で関わってもらいたい、企業にとっては非常に「ありがたい」職種です。

そして、人事職に該当するケースもありますが、労務の複業もあります。例えば、勤怠管理などのツール導入の支援や運用代行、社会保険や助成金などの申請補助などに複業で関わるケースがあります。

財務・経理・法務の複業の働き方

財務や経理職の人にとっての複業は、複業先の事業計画書の作成や予実の管理、会計処理のサポート、会計ツールの選定、運用代行、請求書の作成サポート、融資や株式発行などの資金調達のサポートなど非常に幅広いニーズがあります。

法務であれば、企業間契約におけるリーガルチェックやセカンドオピニオンとしての助言、新規事業を立ち上げる際の法律的なアドバイスなど、サービスの構想の段階から助言に入ることもあります。まさに企業にとっての守りのポジションの代表格です。

情報セキュリティの複業の働き方

情報セキュリティや情報システム経験のある人も複業で引く手数多です。企業のＩＴツールの導入戦略の策定や社内インフラの企画設計・保守・運用、ＤＸの推進など、複業で参画し、バリューを発揮することができるでしょう。

それぞれ関わり方はオンライン、オフラインさまざまです。報酬形態は時給か月額固定での形になるでしょう。面談時に関わり方を摺り合わせましょう。

「プロフェッショナル」としての複業

それぞれの管理部門の職種に携わる方の中には、その道のプロフェッショナルを目指す人が多くいると思います。

例えば、財務のプロフェッショナルとして企業のＣＦＯ（最高財務責任者）を目指すなど次の目標が明確に存在する人も多いでしょう。もちろん自社で結果を出し続けることが大前提です。会社の心臓部だからこそ、一度止まれば企業運営は止まってしまいます。

本業に加えて、その道のプロフェッショナルとして複業をすることで、さまざまな企業の課題を学び、解決パターンを習得し、それを本業に還元することによって加速度が上がり、あなたの目指す理想像に近づくのではないでしょうか。

管理部門の複業イメージがまだまだ広まり切っていないときに活動するからこそ、市場価値を高めるチャンスです。思い切って複業の世界に飛び込んでみてください。

9 事業開発・経営企画職の複業

事業グロースに貢献する事業開発・経営企画職の複業とは？

事業開発や経営企画での複業について、複業先は企業規模を問わずかなり多く存在します。

中小・ベンチャー企業であれば既存事業をどのようにしてグロース（成長）させるか、大手企業であれば新規事業の立ち上げにおいて経験者を外部から探すという経営方針はかなり一般的になってきました。企業の新規事業の立ち上げには、既存事業で必要な発想や能力とは異なる事業立ち上げに必要なスキルや経験、マインドが求められます。

例えば、ＩＴ企業が新規事業として製薬事業に挑戦するといったように、既存事業と全く異なる事業ドメイン（領域）に進出する際、社内に専門性を持つ人材がいるとは限りません。業界特有の商習慣や考え方もあるため、ゼロから社員が学び事業を立ち上げると、圧倒的に時間がかかります。

そのようなときこそ複業人材の出番です。

複業ならではの視点で活躍できるチャンス

事業開発はノウハウや人的リソースも不足している中で模索し、数多くの失敗を乗り越えて成し遂げていくものです。その中で、経験者が複業で参画することで事業の道を示し、共にＰＤＣＡを回してくれるとしたら、企業にとっては非常に有り難いことです。

事業開発に携わる人の複業としては、企業の新規事業の立ち上げにおける企画段階から複業で参画し、定例の打ち合わせで議論し、市場調査や競合環境を調べたりしながら企画を詰めていくケースが多いです。複業先の新規事業責任者と壁打ちや相談のような形で、事前に事業を進める上での落とし穴を塞いでいくケースもあります。複業先が新しい分野に進出するときに、その道の経験者として招聘されることもあるでしょう。

あなたがもし特殊な業界にいたとしても、その業界のルールや常識を知りたがっている企業は世の中に多く存在します。その業界にいて文化に触れているだけでも立派なスキルになるのです。
スキルのハッシュタグを付けるときにも特殊な業界だからこそアピールできる部分は多くあります。

「越境複業」でスキルを磨く

もちろん新規事業の立ち上げだけではなく、**既存事業をよりグロースさせるために事業開発・経営企画経験者を複業で募集する企業も多くあります**。企業の事業課題をヒアリングし、目標とする事業計画に導くためにロードマップを策定し、定期的にアドバイスをするような複業のイメージです。

重要になってくるのが、繰り返し登場している「**再現性**」です。事業を伸ばした経験や失敗した経験を言語化し、企業毎の課題にその経験と対策を当てはめながらアドバイスをすることが重要です。

事業開発におけるプロフェッショナルを目指すのであれば、大手企業→ベンチャー企業、ベンチャー企業→大手企業、都心企業→地方企業、など規模やエリアを「越境」してみましょう。自身の活躍の幅を広げ、事業開発スキルの幅も拡張させることができるでしょう。

事業開発・経営企画の働き方

複業での関わり方は、オンライン・オフライン共に想定されます。事業立ち上げ・事業グロースにおいて膝を突き合わせて議論したい、という企業も多くいるためです。

注意点を挙げると、事業の進捗に応じて関わり方や打ち合わせ頻度、ミッションが変動する可能性が高いということです。打ち合わせ頻度やミッションが変わると、それに紐付く報酬形態や報酬額も定期的に見直す必要がでてきます。面談時には必ずその点について触れて、契約書もしっかり確認をしましょう。契約期間を1～3ヶ月など短期間で更新することで、企業と契約を見直す機会を創ることも1つのやり方です。

報酬形態は月額固定が一般的です。単価としては高く、月額10万円から50万円を超えるケースもあります。

自分にしかない複業のトラックレコードをつくる

本業で新規事業に携わることができないけれども興味があるという場合は、**非金銭報酬（スキル報酬、経験報酬、感情報酬）**を目的に複業をはじめることもできます。

事業立ち上げやグロースに複業で関わり、数字や実績を自分のトラックレコードとして残せる点では、転職や自分の複業単価を上げたいときにはかなり有効的です。すべては最初に設定する複業の目的次第です。

ミドルシニアも複業を

これからは、終身雇用を前提としたキャリアを歩んできたミドルシニア層も人生100年時代の中で「複業」を通じてリスキリングやキャリア構築をしていく時代になると予測しています。

新卒で入社した企業一筋で一貫したキャリアを形成してきたり、1つのスキル・専門性を磨いてきたり、ミドルシニア層に突入をしたとき、一念発起して転職をしようとした際には家庭をもっていたり、何かと挑戦しづらいと思ってしまうことが多いのではないでしょうか。

しかし、私はミドルシニア層こそ会社の規模を超えた「越境」複業をすることでセカンドキャリアに挑戦できると考えています。

先行きが不確実な「ＶＵＣＡ（Volatility（変動性）、Uncertainty（不確実性）、Complexity（複雑性）、Ambiguity（曖昧性））（４）」の現代において、市場価値自体の不

スキルのハッシュタグ例
― カスタマーサポート・カスタマーサクセス職・管理部門全般・事業開発・経営企画職 ―

カスタマーサポート・カスタマーサクセス職
スキルのハッシュタグ例

#カスタマーサクセス　#カスタマーサポート
#toBサポート　#toCサポート　#ユーザーインタビュー
#データポータル構築　#データ分析　#分析資料作成
#チャットボット対応　#チャットボットシナリオ構築
#ツール導入支援　#夜間対応　#休日・祝日対応
#お問い合わせ対応　#電話対応　#対応マニュアル作成
#ヘルプページ作成　#ヘルプページ更新
#SaaSツール導入支援　#スケジュール調整

管理部門全般
スキルのハッシュタグ例

#総務　#社内ポータル作成　#社内研修　#備品管理
#書類管理　#クラウド労務管理ツール導入支援
#勤怠ツール選定　#給与管理　#社会保険申請補助
#財務・経理　#予実管理　#請求書作成　#決算管理
#法務　#契約書のリーガルチェック　#情報セキュリティ
#IT戦略策定　#システム企画
#社内インフラやアプリの保守・運用　#DX推進

事業開発・経営企画職
スキルのハッシュタグ例

#事業企画　#経営企画　#新規事業立ち上げ
#企画　#定例分析　#市場調査　#競合調査
#業界調査　#エリア分析　#IR分析　#海外進出支援
#海外市場調査　#データ分析　#壁打ち
#分析資料作成　#市場規模算出　#経済効果算出
#CXO経験　#起業経験

安定性も加速しています。

昨日まで価値のあったスキルも明日には価値を持たない、ということもあり得る時代になっているのです。ミドルシニア層にとっても、リスキリングなどで学び直す期間や、規模を超えた越境（大手からベンチャー企業など）での職場環境のチェンジなど、越境複業が重要になってきます。

ミドルシニア層の中には「複業で自分に何ができるか分からない」というケースもありますが、今までに培ったネットワークやマネジメントスキル、所属企業ならではの知見や経験、人脈などを求めている中小企業やスタートアップ企業は多く存在します。地方企業や自治体にとっても豊富なビジネス経験の保有者は稀有な存在です。ミドルシニア層こそ積極的に自分の知識・経験・人脈を還元する気持ちで新しい挑戦をしていくと良いでしょう。

また、前述のようにミドルシニア層の大手企業からベンチャー企業、あるいはベンチャー企業から大手企業といった、会社の規模の越境も重要です。今までの日本の経済振興を支えてきたミドルシニア層が、越境複業し、これからの日本を支えていくベンチャー企業へ参画することが増えれば、きっとより良い循環が生まれるはずです。

実際に複業マッチングプラットフォームを運営する中で、ミドルシニア層のサービス登録も年々増えています。**自身の長年培ってきた知識・経験・人脈を「顧問」や「社外取締役」などで活かすセカンドキャリアを模索するケースが増えているのです。**

例えば、競業避止義務などをクリアにした前提ではありますが、大手製薬メーカー出身者が創業ベンチャーの経営顧問として参画する、大手銀行出身者がFinTech（金融×IT）ベンチャーの社外取締役に就任する、というケースなどが当てはまります。

複業は若手のキャリア設計のためにある、という考え方は全く違います。

ミドルシニア層も複業は必ず選択肢に入れるべきです。豊富な知識・経験・人脈を求める企業は多くありますし、人生100年時代の中でキャリアと向き合うタイミングは必ず訪れます。複業がしやすくなった現代だからこそ、一度自身の強みを活かした次の働き方を考えてみても良いのではないでしょうか。

第 3 章

複業の目的から環境を選ぶ

ここまで、職種別の複業を解説してきました。あなたの「複業の目的」を達成するために、さらに選択すべきことは「どこで働くのか」という環境です。

再現性のあるスキルを身につけるためには、どんな規模の、どんな商材を扱う企業で働くのがベストなのか。いまや複業は民間企業だけでなく、行政やスポーツチームなどさまざまな領域で展開されています。

ここでは、民間企業、地方企業、行政の3ジャンルに分けてそれぞれの特徴について解説します。

民間企業×複業

まず、民間企業での複業をご紹介します。民間企業では、大手企業からベンチャー企業まで、さまざまな規模で複業人材の募集があります。前述の「複業で挑戦できる職種9選」とあわせて、あなたが働く姿を解像度高くイメージしてみましょう。

大手企業では、既存事業とは異なる事業ドメインの知見・経験を必要とするケースが多いです。業界・業種を超えたオープンイノベーションが求められる今、新規事業を共に立ち上げるプロジェクトメンバーや、専門知識を持つプロフェッショナルを複業で探している企業もあります。

プロジェクトチームに参加する形の複業では、さまざまなバックグラウンドを持つ人と共に働く経験から、自身のコミュニティを広げたり、新しい着想を得たりすることができ、本業でのステージアップに向けた自信につながっていきます。あなたが日々の業務で残した成果や失敗した経験から、その企業に対して「どのような新しい視点・情報」を提供できるのか、言語化してみましょう。

ベンチャー企業での複業募集も特徴的です。新しい市場の創造のため、覚悟をもって起業した経営者の業務は数え切れず、中には専任を置くべき業務を兼務せざるを得ないケースが往々にしてあります。しかし、創業初期には、多数の正社員を抱えるリスクは大きく、売り上げが安定的に立っていない中でフルタイムの正社員を雇う金銭的余裕もありません。

そこで、複業です。実際に手を動かし、数字を見ながら、経営者と共に組織の成長に向き合ってくれるコアメンバーが求められます。中には、外部ＣｘＯとして、経営者の壁打ちや相談という非常に重要な仕事を求められるケースもあります。

もちろん、私が経営する株式会社Another worksでも、創業前から複業人材と共に組織をつくりました。そのフェーズをすでに体験した1歩先の経験者に、失敗談や気をつけるべきこと、次のフェーズでの課題を聞くことは非常に大きな価値になります。

複業をしたい個人にとっても、より深く事業に参画し、実践するという責任のある仕事ができるため、スキルアップはもちろん、キャリアアップ、キャリアチェンジ、起業への滑走路として有効です。

では、民間企業ではどのような募集があるのか、複業でどんな業務に関わることができるのか、実際の声を聞いてみましょう。

民間企業で実際に複業人材を採用している株式会社ガイアックス 管理本部長の流 拓巳氏、複業としてベンチャー企業でコアメンバーとして活躍している株式会社 Relay 代表取締役（株式会社 Another works 複業広報）の田ケ原 恵美氏にお話を伺いました。

民間企業×複業

CASE 1

常識に囚われず、組織成果を最大化できる人と働く

株式会社ガイアックス 管理本部長　流 拓巳 氏

機会損失を「複業」という選択肢で無くす

――複業採用を始めたきっかけを教えてください。

社内だけでなく、社外の人とも関わることが企業成長に欠かせないと考え、複業採用をはじめました。日々の業務の中で、「他社ではどうやっているのか知りたい」「この道のプロフェッショナルにサポートしてほしい」という瞬間は多くあると思います。それらの課題に対して、社内メンバーから学ぶことは前提に、得たいスキルのプロフェッショナルに複業で話を聞き、外の風を取り入れていくと、より早く、最適な手法を選択できると思います。業務に対する客観性や流動性のある環境の醸成にもつながるでしょう。

――なぜ複業という働き方が必要だと思ったのですか？

現代では、採用されるためにとある3つの条件が揃わなければならないために、ハードルが高いという課題があります。

3つの条件とは、「①会社のカルチャーに合っているかどうか（カルチャーマッチ）」「②企業に必要なスキルと本人が活かしたいスキルが合うか（スキルマッチ）」「③その企業の社員として働けるだけの時間を確保できるタイミングかどうか（タイミングマッチ）」です。しかし、それらは複業という選択肢があれば解決できると考えています。

複業であれば、3つが揃っていなくても参画することができるのです。例えば、カルチャーマッチし、スキルもある、しかし、ライフイベントによりタイミングだけが合わないという方も、フルコミットを想定しない複業であれば関わることができます。3つが揃わないから「ご縁がない」のではなく、良い関係性を模索することからスタートできることが複業の魅力です。

――複業人材と共に働くうえで大事にしている考え方はありますか？

自らの意志でどこまでも挑戦できる3つの環境を大切にしています。この考え方は、複業をする上での心構えとしても参考になると思います。

　まず、フリーという自分らしい生き方・働き方を決められる自由さ、です。複業で関わる上では、「複業メンバーだから」という考えではなく、（求められるミッションによりますが）、主体的に問題を解決したいという意識が欠かせません。プロジェクトリーダーとして動く、専門的な知識や技術で支える、など複業という働き方においてもさまざまな選択肢があると思います。

　次に、フラットという、役職や立場に関係なく、誰もが同じ目線で議論し合える対等さです。プロジェクトの成功確率は、持っている情報の総量によると考えており、これは複業で関わる上でも同様です。必要な情報を積極的に取りに行き、最適なアプローチを議論していくことがスキルアップ、キャリアアップに直結すると思います。

　最後に、オープンという、社内外の垣根を越えて、未知の世界へ積極的に飛び込んでいける風通しの良さです。複業であっても熱意がある人に仕事を依頼したいものであり、そこに社内、社外という枠組みは関係ありません。複業で関わる際は、「なぜその事業に関わりたいのか」「どんな目的で参画したいのか」を明確にし、「なぜ私がやる必要があるのか」を伝えると熱量が伝わるのではないでしょうか。

「成果を出せる条件」を言語化する

――複業で人材を募集する際に意識していることはありますか？

マッチする人に仲間になってもらうために、まずは求人で「どんなアウトプットを期待しているか」を明確にしていました。募集領域は、壁打ちのような形から、時間的コミットを求めない成果報酬型の仕事、専門知識を要するポジションまで幅広くあります。

例えば、一緒に議論することを求めるのか、失敗しやすいポイントのアドバイスを求めるのか、では全く役割が異なります。そのため、どのような成果をもとめるのか、そのために必要なスキルは何かを言語化し、明示することが重要です。

また、複業で参加するポジションの言語化も重要です。チームの一員としての参加を期待するのか、単発で特定の業務をお願いしたいのか、はたまたプロジェクトリーダーを任せたいのか、ポジションによって関わり方や関わる時間が大きく変わります。中には平日の業務時間での稼働が必要になるケースもあるため、明確に定義し、必ず共通認識を持つようにしています。

――正社員採用と複業採用での違いはありますか？

複業採用では、フルタイムで関わるわけではないからこそ、「スキルレベル」とその「発動条件」を慎重に確認しています。

具体的には、過去の実績を分解し、その人が持つスキルを自社でも再現性をもって発揮できるのか、です。例えば、何が本人の能力で何が環境要因なのか、その人が成果を出した環境と自社の環境はどんな共通点と相違点があるのか、などです。

複業をしたいと思ったときは、面接前の段階で、「自分が成果を出せる条件」を理解し、伝えられるように言語化しておくことをオススメします。

これらは、今自分が働いている環境の周りに誰がいて、その人は自分にどういうコミュニケーションを取ってくれているのか、会社はどんな武器を与えてくれているのか、洗い出すことで見えてきます。自分の状況を、客観的に認知し、どのような状況でパフォーマンスを発揮できるのか言語化することが大切です。

――複業をする際、注意すべきことは何ですか？

理想形の確認と自己管理の2つがあると思います。

まず、企業から「求められているゴール」を確認し、共通認識を持つことが重要です。

せっかく複業として時間を投資したにもかかわらず、期待されているアウトプットとの相違が発生すると、正当な評価を得ることができません。そこで、契約期間内でどこまで達成すればいいのか、理想形の共有を得た上で、「してはいけないこと」を明確に認識しておくことをオススメします。単に理想形を認識しているだけでは、日々の判断軸が曖昧になる業務も、「してはいけないこと」を認識するだけで明確になります。

次に、複業という自分で責任をもつ働き方だからこそ、自己管理が重要です。複業人材を受け入れる企業側としては、複業人材のケアを、自社専属のメンバーと同様に行うことは困難なのが実情です。これは気持ちやリソースの問題ではなく、本業複業含め関わる企業先の責任者と連携をとることは困難だからです。企業側にできることが限られるからこそ、自己管理を徹底し、何かあったときは複業先に早めに相談することが必要です。

優秀な複業人材は、主体的に「質問」をする

――活躍する複業人材の共通点を教えてください。

優秀だと感じる複業人材は、主体的に必要な情報を取りに行く人です。少しでも不安に思ったときに「このやり方であっていますか？」と聞き、求められた成果物に関して「ど

の段階で報告すべきですか？」と摺り合わせをすることです。

中には、質問が多いことで、仕事が出来ないと思われないか不安に思う人もいると思います。しかし、継続的に働くことを考えると、初期段階で徹底的に摺り合わせた方が、確証のないことを察して間違えるよりも、後のパフォーマンスが上がるため、企業・個人両者にとってメリットがあります。

また、各人の複業の目的によって異なりますが、当事者意識の高い人のほうが活躍している傾向にあると思います。当事者意識は、正社員には必ず求める部分ですが、複業で関わる際にもっているとより魅力的に感じます。また、それだけ想いをもって働きたい企業を選び、複業をすることも良いと思います。

複業は、自分を見直すきっかけになる

――複業という働き方は今後、必要だと思いますか？

自分を知るために、複業はとても良い機会です。意外と自分自身のことは分かっていないため、さらなる成長や、開花のために、異なる環境で挑戦してみることは1つの良い選択肢だと思います。複業ができない環境でも、複業で何ができるのか考えること自体が自

分のスキルの棚卸しになります。実際に複業をしてみてパフォーマンスがでなかったとしても、自分の強みや弱みを再認識することができます。複業という働き方を1つのきっかけに、気軽に挑戦してみることをオススメします。

複数の選択肢を持てる複業は、これからの時代に欠かせない働き方です。複業とは、自分の才能や、投資できる時間、身につけた知識を自己完結するだけでなく、社会とつながる形で使ってみることだといえます。自分の中にあるまだ発揮されてないポテンシャルを掘り起こし、本来やりたいことに使うために、働くことを崇高なものだと考え過ぎず、また、働く場所を1社に絞るのではなく、個人の持つさまざまなスキルをそれぞれの場所で生かせる時代になることを願っています。

民間企業×複業

CASE 2

ベンチャー複業で「再現性」を身につけ、市場価値を上げる

株式会社Relays代表取締役（株式会社Another works複業広報）田ケ原 恵美 氏

再現性のあるスキルを身につけるために、創業期に複業で参画

――複業をしようと思ったきっかけを教えてください。

本業で行っていた業務が果たして他でも通用するのか、再現性があるかどうかを検証したいと思い、複業をはじめました。

当時は、正社員として所属していた1社以外での経験がなく、どこかずっと「自分は初心者だ」と自信が持てずにいました。

また、成果が出ていても、自分のスキルが伸びたからではなく、会社の成長があってこそとも思っていました。だからこそ、複業で経験を積み、自分のスキルに再現性があるのか試したいと思いました。

――なぜベンチャーという規模を選ばれたのですか？

ベンチャーにこだわる理由は会社の成長を間近に感じられるからです。また、事業やサービスの成長に合わせて仕事の幅が広がることにも面白さを感じています。さらに早い段階から経営陣とコミュニケーションを取り、施策を浸透させることができる分、時間が経てば経つほどよりよい成果につながっていく点でやりがいを感じます。

いままでのキャリアでも、本業・複業いずれもベンチャーで働くことを選んでいます。規模はさまざまですが、従業員が50名未満の時期に入ったこともあれば、メンバーは経営陣だけという創業当初のタイミングから参画するケースもありました。

――複業先はどのように探していますか？

現在に至るまで、10社以上の複業経験があります。さまざまな出会いやご縁から複業をはじめていますが、基本的にはリファラルでつながる形が多いです。

まずは、複業を考えていることを知り合いに相談し、これまでの経験や信頼を踏まえて案件に巻き込んでいただいたり、知り合いを紹介していただいたりしました。結局は本業・複業問わず目の前の仕事に全力で取り組むことで、信頼を得ることができ、そのつながりで仕事の幅が広がっていくと思います。また、リファラルでは、実際の自分のスキルを知ってくれている方からのご紹介のため、期待値とのギャップが生まれにくいのも安心して長く働ける秘訣です。

また、登録しているプラットフォームを経由したエントリーやスカウトから、案件を受けることもあります。自分の人脈の外にある企業に出会うきっかけにもなるためオススメです。複業サイトは、履歴書や職務経歴書などを入念に準備する転職サイトよりも手軽に利用できるのが魅力だと思います。定期的にスキルの棚卸しをする機会にもなります。いまやたくさんの募集が出てきている時代であるため、まずは求人を眺めてみると働くイメージが膨らむのではないでしょうか。

リファラルやプラットフォームへの登録は、それぞれメリットやデメリットがあるため、併用してみることをオススメします。

――複業先を選ぶ上で、重視していることを教えてください。

私が広報の複業を探す際に一番重視しているポイントは、経営者との相性です。なぜなら広報活動は経営陣とのコミュニケーションを重ね、発信すべき「企業の価値」を汲み取る必要があるからです。これは本業・複業関係なく非常に重要です。そのため、面接やその後のやり取りを通じて、コミュニケーションが円滑にできるかどうか、相性が良いかどうかを確認しています。

また、何をしている会社か、どのようなビジョンを持っているかについても重要視しています。株式会社Another worksでの複業は、代表である大林さんの人柄や意思決定のスピードに魅力を感じ、会社が目指す未来に深く共感したことが働く決め手となりました。

経験を可視化し、「何に貢献できるのか」を明確に伝える

――面接では、どのように過去の経験やスキルをアピールしましたか？

これまでにどんな商材で、誰に対して、どのようなアプローチをしていたのかなど、動き方のイメージを細かく言語化し、伝えました。私の場合は広報機能の立ち上げを特に強みとしているため、これまでの取り組みをポートフォリオにまとめたり、スキルの棚卸しを定期的に行ったりしています。

複業経験が増えると実績が増えるため事例の共有もしやすくなります。私自身が複業でどう価値発揮をしたのか、さらにはどのような環境だと成果が早い段階で得られたかなど

もお話するようにしていました。この作業を繰り返すことで、どの点で再現性のあるスキルを身につけられているのか、自身でも再認識することができたように思います。

――複業をはじめる前に、必ず確認することはありますか?

期待値の調整と契約金額、担当者の3点は、必ず事前に確認しています。

まず、期待値の調整についてです。広報という職種では、広報を雇えば「メディアに出してくれる」「有名になる」というように、変に期待値が上がっていることがあります。しかしそれは、地道な広報活動の積み重ねが大事であり、一朝一夕でなされるわけではありません。このように、時間軸も含めて事前に期待値を調整しなければ、企業が求めていることと、複業で関わる私ができることに差異が生じてしまいます。

次に、契約金額についてです。予め、私が「どこまでの覚悟や責任をもって働くか」を明示した上で、相場に基づいた金額を提示しています。覚悟と責任によってアウトプットの量や稼働時間が異なります。例えば広報は炎上したときに最初に対応すべき部門ですが、複業として役割を果たすべきか否かは与えられた役割によって変わってきます。そのため、細かく「ここまではやります」というように摺り合わせをし、見合った金額の共通認識を持つことが重要です。
最後に、意思決定者・担当者が誰になるのか確認することです。その際、コミュニケーションがいつ発生するのかまで把握すると進捗が滞ることがありません。また、担当者が頻繁に変わる場合は、ミッションの変更や引き継ぎ業務など当初の想定外の業務依頼が入ってくるため、働く前に担当部署や異動が多くないかなど確認しておくと安心です。

――ベンチャーで複業をすることの魅力や特徴を教えてください。

自分が今持っているスキルを実際の現場で力試しができることが最大の特徴です。ベンチャー企業では、コアメンバーとして入ることが多く、私も1人目の広報として参加する（社内に正社員の広報がいない）ケースも多くありました。だからこそ複業は、創業期から主体性をもって働くことができる魅力的な環境です。
また、個人的には、複業先を増やせば増やすほどさまざまな人生観を知れることに魅力を感じます。出会いの数に比例して、自分の人生も豊かになる、それが複業の魅力です。

田ケ原さんの複業時間割

田ケ原さん

とある1社での
複業スケジュール

	月	火	水	木	金	土	日
〜9:00							
9:00〜12:00	1時間 競合チェック	1時間 メディアアプローチ			1時間 複業先と定例会議		
12:00〜15:00		1時間 取材対応同席					
15:00〜18:00		2時間 広報企画立案					
18:00〜	2時間 プレスリリース作成						

まずは複業で実績を積み、独立を決意

――複業を通じて、キャリアプランに変化はありましたか？

複業での経験を経て、現在は独立・法人化をしています。もともとはいつか個人の名前で仕事がもらえるようになりたいと考えていたため、自信がついたタイミングで独立しようとは漠然と考えていたように思います。

当初は正社員として企業に勤めつつ、複業をはじめ、フリーランスになったのは社会人3年目の頃でした。複業をすると本業と並行して経験が積めるため、年齢が若い段階からでもビジネスで活躍したい、成果を出したいという方は早めにチャレンジしておくことで戦闘力が高まる気がします。私は本業よりも使う時間が少なかった複業での成果や実績が出始め、ある程度スキルに再現性があるとわかった頃に独立を前向きに考えられるようになりました。ありがたいことにクライアント先の企業規模が大きくなってきて、法人格での契約を希望されたタイミングで法人化しています。

――複業という働き方の魅力を教えてください。

複業は自分を豊かにするものだと思っています。スキルを高めることや、お金を稼ぐこ

と以上に、自分にとっての楽しみが広がっていきます。

複業をはじめるとき、自分のスキルに自信がなかったり、勇気が出なかったりして諦めてしまう方もいるのではないでしょうか。仕事で成果が出なかったら文句を言われるかもしれないと思うことも、飛び込めない1つの理由かもしれません。

しかし、それはすごく勿体ないことだと思います。注意やダメ出しをされたとしても、それは人として言われているのではなく、「コト」に対して言われているのだと思うことで、自信をもって複業をはじめることができると思います。挑戦したいことがあるのであれば、怖がらずにやってみてほしいです。

地方企業×複業

次に、地方企業での複業を紹介します。地方に拠点を持つ企業が、リモートワークを前提として、全国から複業人材を募集する動きが出てきています。地方企業の人手不足が深刻化しているにもかかわらず、従来は物理的な距離が要因で採用を諦めざるを得ないという課題がありました。

しかし、オンラインで働くという選択肢が出来たことで、場所を問わず複業人材を募集できる機会が生まれたのです。一見、複業とはつながらないような製造業や農業などの領域でも複業人材を募集していると聞くと、驚く人もいらっしゃるのではないでしょうか。

実際に地方企業でどのような複業の働き方ができるのか？　オンラインでスムーズに複業の業務ができるのか？

地方に拠点を持ちつつ、複業人材を採用されたジャパンシナジーシステム株式会社人事戦略室室長の田中　将太氏にお話を伺いました。

地方企業×複業

CASE 3

地方の人材難、複業人材が救世主に

ジャパンシナジーシステム株式会社　人事戦略室　室長　田中　將太氏

「慢性的な人手不足で、すぐにでも複業人材の力が必要でした」

――複業人材を募集しようと思った背景を教えてください。

すぐにでも、人手不足を解消しなければならなくなったことがきっかけです。弊社は、福岡に本社を構えており、事業を立ち上げていく中で人手が足りないという課題を常に抱えていました。労働力人口の減少が叫ばれる中、多くの地方企業が同じ課題を抱えているのではないでしょうか。

そんな中、正社員の退職者が発生し、緊急で人員を補強しなければならなくなり、複業採用をはじめました。当初は正社員での採用も考えていたものの、そもそも正社員の採用自体が難しく、かつ、スピード感をもって入社していただくことはハードルが高いものでした。また、入社後の研修や業務の引き継ぎという面で、実務に入るまでの時間が長く、ただでさえ業務過多な中、対応が不可能でした。

そこで、複業という関わり方で、優秀な即戦力の方にサポートいただこうと考えました。また、複業であれば、場所の移動を伴わないため、スピード感をもって仲間になっていただけることも魅力的でした。

――複業人材の募集はいつから始めましたか？

初めて複業人材を募集したのは2022年です。新型コロナウイルス拡大により、リモートワークの整備が進んだことが1つの理由です。従来は、出社が前提であったため、福岡に住んでいない方とは仕事をすることができませんでした。しかし、現在は同じ場所で仕事をしなくても、オンラインツールを使用し、コミュニケーションを取ることができます。そんなとき、複業という選択肢を知り、働く仲間と出会う機会が大きく広がりました。

すぐに依頼できる仕事がなくても、接点を持ち続けたい

――実際に、どんな業務を複業で募集していますか？

まずは、すぐにでも人材が必要な部門で募集をし、その後、全社での慢性的な人手不足を解消するために複数の部署での募集をはじめました。

とある部門では、正社員1名に対し、複業メンバーを4名採用しました。中には、募集してから1週間で面接、2週間後には初回のオンラインミーティングを開始するというスピード感をもって仲間になっていただけた方とも出会うことができ、心強い存在でした。

企業の中には初めて複業人材を受け入れるケースもあるでしょう。しかし、複業経験が1社以上ある方、もしくは、本業で複業人材と働いたことのある経験があれば、企業の1人目複業人材として難なく活躍できると思います。

逆に、複業が初めての人は、不安に思う部分もあると思いますので、面接時に、既に複業人材がいるか、担当者が複業人材との業務経験があるのか確認してみるといいと思います。

――スキルマッチした方を採用するために、何を重視していますか？

まずは求人に、今求めているスキルを記載し、プラットフォーム上でオープンに募集を開始、エントリーしてくださった方のプロフィールを確認したうえで、面談をしました。

分かりやすくスキルをアピールしてくださった方の共通点は、どのような「業界」での経験があるのか、過去にどのような「アウトプット」があるのか、整理したうえで具体的に伝えてくださったことです。面談前に資料にまとめて送ってくださる方もいました。複業経験の有無よりも、本業で何をしているのか、本業で得たスキルをどう活かしていただけるのか、が重要だと思います。

また、スピード感をもって業務に入っていただけるか、がとても重要でした。「すぐにでも業務に取り掛かってほしい」という緊急案件も多く、未経験の方でも採用したいと思っています。業務開始時期はもちろん、面談までの対応やレスポンスが早い方は、スムーズに日程調整が進み、印象が良いです。

加えて、プロフィール上でスキルや成果物が明示化されているか、も重要でした。複業求人にたくさんの応募をいただいたため、スキルを記載している方を優先的に面談設定しました。本当に人で困っている企業では、想像以上に面接参加へのスピード感に対しての優先順位が高いです。

――実際にお断りになってしまう人は多かったのでしょうか？

もちろん、面接をした方全員へ、すぐに業務を依頼することはできません。しかし、「今」「この案件」ではご一緒できないけれども、今後何かお願いしたいことが出てきたときに依頼したいという人との出会いが多くあります。企業には顕在化した人手不足だけなく、潜在的なニーズがあります。そんなとき「こんな経験がありますか」と面接でお話しいただくことで業務に気づくケースも多くあります。いままでの何気ないご経験も、企業にとっては宝です。

一方で、どんなにスキルがあっても、実際に一緒に仕事をする業務担当者との相性がよくない場合はお断りをさせていただきました。

相性とは、コミュニケーションはもちろん、担当者の持っていないスキルを補ってもらえるかです。同じスキルを持つ人を必要としているわけではないため、少しでも違う業界やジャンルでの経験を求めています。

正社員・複業人材にかかわらず、全員が会社を作ってくれる仲間である

――複業の方とはオンライン上でお仕事をしているのでしょうか？

基本的にすべてオンラインで完結しています。本社は福岡にありますが、実際に来てい

ただく必要はなく、場所を問わず、どこからでも参加いただけます。

やり取りは、正社員メンバーと同じチャットグループを使用しています。複業の皆様から「フィードバックをもらえますか？」や「業務の進め方で相談があります」など能動的に質問をしてくださることがありがたいです。本当に隣で、一緒にお仕事をしている感覚で、正社員も複業人材も関係なく、1人のメンバーとして会社を作ってくれる仲間となっています。

――今後も複業採用を続けていきたいですか？

なかなか正社員だけでは補いきれない部分が多くあるため、正社員を起点に、複業人材を頼りながら、チームを組成していくという経営方針を検討しています。

また、複業として関わっていただいた後は、マッチ度やタイミングにもよりますが、正社員として入社いただくことも視野に入れています。皆様にとってもいきなり転職を決意するのではなく、事前に働き、相性を確認できる方が安心できるのではないでしょうか。

――複業という働き方は今後、必要だと思いますか？

日本の労働力人口が減少している中で、終身雇用と言ってはいられない時代になっています。今後はさらに複業人材を採用する企業が増えてくるでしょう。

複業人材は、自社にない視点や経験をもたらしてくれる欠かせない存在です。また、複業で得られることは多くあり、自身の専門職種をスキルアップだけでなく、多くの企業との関わりを持つ経験も貴重だと思います。企業への提案力やコミュニケーション力などさまざまな場所で活かせる能力になるでしょう。

行政×複業

最後に、行政での複業をご紹介します。

複業は民間企業で募集されているイメージをお持ちの方は多いのではないでしょうか？

実は、多くの自治体が複業人材を募集し、民間の力を必要としています。近年の急速なオンライン化により、デジタルや新しい法への対応、ＳＤＧｓへの取り組みなど、行政においても、いままでにない専門知識が必要とされる業務が増加しました。しかし、行政には経験者が少なく（すぐに採用することも難しく）、知見・ノウハウが蓄積されていないのが現状です。

そこで、複業人材が民間企業での経験を活かし、行政職員と共に地域課題を解決していく、新しい働き方が登場しました。

行政複業で叶う目的は、ズバリ、感情報酬です。地元に恩返しをしたい、お世話になった地域に少しでも関わりたいという想いを、複業で実現することができます。場所や時間の制約があったためにいままで関わることができなかった地元や地方にある行政に、複業であれば参画できるのです。

では、行政で何ができるのか？　複業として何に関わることができるのか？　実際の声を聞いてみましょう。

行政で複業人材を実際に採用された長崎県壱岐市役所ＳＤＧｓ未来課の中村　勇貴氏、長崎県壱岐市組織運営複業アドバイザーの植本　宰由氏にお話を伺いました。

行政×複業

CASE 4-1

複業人材と共に官民共創のまちづくりプロジェクトを推進

長崎県壱岐市役所　SDGs未来課 中村　勇貴　氏

行政では経験がない課題を、複業人材と共に解決する

――複業人材を募集しようと思った背景を教えてください。

日々業務を行う中で、民間人材の力を借りたい場面が、いくつか明確にあったからです。いずれにも共通していたのは、行政にいない経験者の知見を借りたい、住民や利用者目線の意見を取り入れたいという2つでした。例えば、DXやワーケーションなど専門的かつ新しい分野、さらに、全国の行政でも手つかずの領域での経験豊富な民間の方の視点を求めていました。また、役所の中にいると、実際にサービスや仕組みを利用している方の体験談など、生の情報がなかなか届かないのが実情です。そこで、実際に利用したり、同じような取り組みや働き方をしたりしている人と出会い、意見交換をしたいと思いました。

ただ、一番の理由は、複数の居場所をつくるという意味の「複」業を募集したいという想いが決め手だったかもしれません。行政で働くという経験だったり、壱岐に関わってみたいという感情だったり、スキルアップやキャリアアップを目指す「複」業をしたい、そのような価値観を持つ人と一緒に仕事ができるのであれば、何かいままでにないものが生まれるのではないか、と考えました。

――行政では、普段から外部人材との関わりは多いのですか？

私が所属するＳＤＧｓ未来課では、行政だけでは解決できない部分を官民連携し、役所内外の境目を意識せずに進めていく動きがあります。

行政職員が苦手（あまり経験がない）なことは、「企画する」ことです。行政は、法律等で決まったことを正しく実行することは得意ですが、社会変化に対して新しいことを企画する機会が少ないです。そこで、民間の方との何気ない会話を通して、「こういうことはやらないのですか？」と異なる視点での「問い」をいただき、「なるほど！」と気づき、企画に反映していくことがたくさんあります。

壱岐と真摯に向き合ってくれる複業人材とまちづくりをしたい

――実際2週間で80名以上のエントリーがあったそうですが、面接では何を質問しましたか？

壱岐市では、ＤＸ推進アドバイザー、ワーケーション促進アドバイザー、組織運営アドバイザーの３職種を募集しました。

どの職種でも共通して、「壱岐に興味を持った理由はなんですか？」という質問をしました。地域との接点は、実際に来たことがあったり、幼いころの思い出があったり、家族が移住していたり、色々な形がありますが、地域自体に関心が高く、熱い想いをもって関わってくれる方と一緒に働きたいと思ったからです。

もちろん、これまでのご経験についてもお伺いし、今の壱岐市が抱える課題に対して、どう貢献いただけるか、なども聞いていました。しかし、一番は壱岐という地域が好きで関わりたいことを素直に伝えていただき、真摯に向き合ってくださることを重要視しました。

――選考を進める中で最も大切にしたことは何ですか？

一番は、行政職員と相性よく、波長の合うコミュニケーションができるかどうかです。

課題解決を進める上で、複業人材が一方的にコンサルティングをするだけでは成果が出ず、併走してもらうことが大切です。そのため、行政職員が物怖じせずに意見を言える相手か、お互いの意図をくみ取ってやっていけるか、を感じ取るようにしていました。

――実際、複業人材と取り組んだからこそ得ることができた気づきはありましたか？

日々の業務の中で、職員の中では「できている」と思っていても、実際は「できていない」ことはたくさんありました。例えば、職員の経験が少ない業務を行う際、行政内にリソースがないために、外注せざるを得ないことがあります。もちろん、仕様書や打ち合わせで成果のイメージや意図はしっかり議論してお伝えするものの、業務や制作の過程は企業の内部情報なので見えず、最終的に業務報告書等で成果を確認しますが、本当に報告書通りの成果が起きているかを感じづらいです。行政職員の中でも、そこに課題を感じ、モヤモヤしている人は多いのではないでしょうか。

複業人材との取り組みでは、職員が主体となり併走していただくため、オンラインミーティングの会話の中で、ふとしたときに職員が気付きを得て企画を軌道修正したり、一緒に振り返りをすることでプロジェクトの成果に向き合ったり、考え方や企画への向き合い方という観点で学びを得ることができます。「過程」を、職員が学ぶことで、次の業務がブラッシュアップされる効果があるのです。

コミュニケーションが要、行政で活躍する複業人材の共通点

――行政で活躍する複業人材の共通点は何ですか？

明確に、コミュニケーション力です。中でも、リズムと伝え方という2つがあります。

まず、リズムが異なる行政と民間の違いを理解し、意識して合わせたり、相談してくれたりすることです。行政職員と複業人材は、基本的にはチャットで気軽にやり取りができますが、業務上チャットの時間を指定したい、繁忙期には連絡が難しいなど部署によって様々なため、行政の勤務時間や業務の状況を意識し、会話してくださることが非常にありがたいです。

もちろん、複業人材も日中は本業で勤務しながら関わってくださるため、時間が合わないこともあります。夜にメッセージをくださることもあったのですが、「確認と返信は明日で大丈夫です」と一言添えてくださったことで、気持ちの良いコミュニケーションができました。働き始める前に、コミュニケーションやミーティングのタイミングを相談し、

決めておくのが重要だと思います。

次に、伝え方についてです。行政職員や地域の方々は、ガツガツ来ていただくと、少し引いてしまうところがあると思います。意思決定のスピードなど地域ごとにそれぞれリズムがあるため、上手く距離感を掴み、受け入れられたタイミングで少しずつ提案していくことが大切です。

民間でビジネスをする際は、スピード感をもって成果を出すことが求められると思います。しかし、地域が今までにない新しい要素や変化を理解し、受け入れるには民間よりも時間がかかります。そのため、通常よりは余裕をもったスケジュールで、地域に合わせていく方が円滑に進むと思います。

――行政職員と複業人材の間でのギャップはありますか？

ギャップはそこまで感じませんが、それぞれの得意分野があると思います。行政は、正しいことを正しく遂行する能力に長けています。法律で決まったことを、しっかりと政策として地域に実装することが行政の最大の機能です。逆に、前例主義のため、現場の変化に合わせて柔軟に適応していくことが苦手です。

民間は、社会の変化に合わせてその時に最適な解決策を生み出し続けることでビジネスを成立させていると思います。また、民間と行政では領域が異なるため、行政側には事例がないけれども、民間側では事例があるものは、たくさんあります。そこで民間での事例を聞き、想像上ではなく具体像を伴ったディスカッションができることは、行政職員にとって貴重な気付きになります。異なる得意分野を持つ行政と民間の関わりは確実に相乗効果を生んでいると思います。

——行政複業はこれからどうなっていくと思いますか？

行政で複業をする価値は大いにあると思います。近年、人口減少に起因して、地域課題は増加し、地方創生ＳＤＧｓの推進など行政の役割は増えています。また、ソーシャルビジネスという言葉を耳にするように、社会領域のビジネスによる課題解決が増えています。行政側は社会を、民間側は経済を担当していると表現した場合、行政の守備範囲が広がっているように、逆に行政の領域に民間が参入し、官民の境界線は曖昧になっています。

そこで、民間人材が行政に複業で関わることで、新たな視点を得て、ビジネスに活かすことは十分に価値があると思います。また、地方から人口減少が進む現代において、増え続ける課題に対する行政のマンパワー不足は否めません。好きな地域に、たとえ住まなくても、1％でもスキルや能力、人生を投入してもらえるような関係性をこれからも増やしていけば、新しい地方創生の手法になっていくと思います。

――長崎県壱岐市市長 白川 博一 氏からのメッセージ

実際にプロジェクトを実施して、行政の外の視点で様々なアイデアをいただき、職員の成長がうかがえました。また、アドバイザーの皆様には、実際に本市に足を運んでもらえるほど、ファンになっていただきました。このご縁をつなぎながら、次は、職員の成長をどう地域に還元していくかが重要です。人を起点に地域が活性化していく社会が、複業を通じて実現される未来に期待しています。

行政×複業

CASE 4-2

思い入れのある地域で、職員と共にまちづくりに挑む

長崎県壱岐市 組織運営複業アドバイザー 植本 宰由 氏

初めての複業が壱岐市のアドバイザー⁉

——複業に応募しようと思ったきっかけを教えてください。

実は、今回の壱岐市にアドバイザーとして参加する「行政複業」が、人生で初めての複業でした。壱岐という幼少期から思い入れのある場所で、何か自分が身につけたスキルや経験を還元できないかと考えていたとき、たまたま募集を見かけたのがきっかけです。

幸い、本業では、複業を解禁していたため、複業をする上で制約はありませんでした。上司に話したところ、反対されるどころか、むしろ応援して背中を押してくれました。社外のことに積極的に挑戦し、本業のスキルアップにつなげることが期待されているのだと思います。つまり、「元々複業がしたかった」というより、「壱岐に関わりたいという目

的」があり、その手段が複業でした。

――なぜ転職や移住ではなく、複業という関わり方を選んだのですか？

私の場合は、転職を考えているわけではなく、今の仕事に誇りをもっており、何か相乗効果が得られることがしたいと思っていました。同時に、本業ではマネジメントラインを担当しており、どうしても現場からは離れてしまっているという認識もありました。そこで、私個人が当事者として手を動かすことのできる「複業」という働き方に魅力を感じたのです。

また、本業で身についたスキルを活かしてみたい、という挑戦的な位置づけもあります。自ら挑戦し、成長の機会を作る、そして外部の刺激を本業に活かすという考え方です。

何より、複業という、複数の仕事を掛け持ちしながらもメイン・サブという序列をあえてつけず「どれも本業」という考え方に共感しています。仕事に順序をつけてしまうと、失礼な上に、成果も出ず、結局、本業に還元できないと思います。携わるからには、複業は二の次ではなく、同じ優先度で、当事者意識をもって取り組むことを大切にしています。

――壱岐市の複業は、どこで知りましたか？

Facebookに流れてきた投稿で、壱岐市の募集を初めて知りました。とにかく参加したいと思い、すぐにプラットフォームに登録をして、求人を確認、応募に至りました。

SNSを眺めているだけで、たくさんの情報が入ってくる時代だからこそ、好奇心を持つだけで、情報と出会う可能性は格段に高まります。たくさんある出会いの機会を、いかに掴めるか、興味を持ったらすぐに、素直に飛び込めるかが重要だと思います。

「自分に何ができるのか」を伝えること

――なぜ「組織運営複業アドバイザー」という職種を選ばれたのですか？

具体的な業務内容の中に、「#ファシリテーション研修」というキーワードが入っていたことが決め手です。壱岐市では、行政職員が、ワークショップの企画やファシリテーション技術を身につけることで、地域の協議会を運営できるようになることをゴールとしていました。これは、私が本業で日常的に行っている業務と共通点が多く、自身のスキルが活かせると思いました。

――面接では何を聞かれ、何を伝えましたか？

面接では、「これまで何を経験し、何のスキルを持っていますか？」とご質問をいただきました。私は、自身の経験を、実績や体験談を添えながら見ていただきたいと思い、画面共有をしながら、言語化したメモを投影しました。私が過去何をして、どのような点で価値貢献できるのか、公開可能な具体的な事例を元にお伝えしました。

また、自分が「何ができるのか」を伝える際、ストーリーをどう描くか、を大切にしました。企画をすることは、規模の大きい、曖昧な話です。しかし、「A地域のKさんが……」というようにストーリーを語ることで、より具体的なイメージをもっていただけるでしょう。自らのアクションによって、誰のどのような行動が変わったのか、今回の応募において、壱岐市の何をどう変えたいのか、を伝えることができたと思います。

民間と行政の違いを理解し、尊重し合う信頼関係を築く

――主にオンラインで業務をしたとのことですが苦労したことはありませんでしたか？

基本的には、週に1回オンラインでミーティングをしながら、1度現地で、各地区の行政職員60～70名に向けたワークショップを開催しました。オンラインでのコミュニケーシ

ョンが上手くいった理由は、どんなときでも毎週1回、必ず顔を合わせることを、ルールとして決め、お互いが必ず守ったことにあると思います。

民間企業でよくありがちな例として、週次で定例ミーティングを設けているものの、優先順位が下がり、今週はスキップでというケースです。同じように、複業で関わる私にも本業があるため忙しく、行政職員も日々の業務でご多用です。しかし、私は、1週間に1回30分、たとえノーアジェンダでも必ずミーティングを実施しました。

ミーティングは、今の率直な気持ちや、仕事の忙しさ、「昨日はこれが大変で」といった日々の何気ない話をする時間として大切にしました。この気軽さは、発言量を上げるための仕組みであり、本業で取り組んでいたことでした。私の日常的な習慣が、行政職員の皆様には新鮮だったようで、本業の経験を意外なところで活かすことができました。

――複業（行政）での学びを、本業（民間企業）で活かせたと感じることはありますか？

行政職員の皆様から学んだことは、対人コミュニケーションスキルです。行政として常に市民の皆様と接しているからこそ、フラットに交渉し、合意するスキルに長けていると思います。市民の方々が、行政職員の皆様に頼っている姿を何度も見て、行政の大きな存在価値を再認識しました。

また、民間と行政では「問いをつくる」のか、「求められた問いを着実に解決していく」のかという違いがあると学びました。民間企業では、自分や企業が何をしたいのか、主体性をもって問いを作り、ビジョンを立て、それに向かって動くと思います。

しかし、行政は自ら問いを立てるのではなく、市民の皆様や社会の変化などから問いを拾い、着実に形にすることが求められているでしょう。だからこそ、民間と行政は相性が良く、問いを投げかけられる民間複業人材と、それを高い精度で遂行できる行政のコラボレーションは、新しい価値を生み出すことができます。この相乗効果を実際の現場で経験できたことは、本業だけでなく、今後の人生に活きる気付きです。

複業は決して ハードルの高い働き方ではない

――複業として参画した壱岐市とは今後も関わっていきたいですか？

複業を通じて、さらに壱岐が好きになり、今後も関わりを持ち続けたいです。当初は、なかなか受け入れてもらえないこともありましたが、向き合い続けることで、徐々に心を開いてくださいました。複業で、地域の皆様と関係を築き、未来を語り合えたことは本当に幸せです。

中長期的には、壱岐で起業したいと考えています。複業を通じて、地域には多くの課題があり、本当に困っている現状を知り、複業だけで関係が終わってしまっては、当事者にはなれないと強く思いました。だからこそ、法人を立ち上げるという新たなチャレンジをしたいです。

複業を通じて「私に何ができるのか」、自分を再認識することができたからこそ、このご縁を大事にしながら、思い入れのある地域で自分の強みを活かしていきたいです。

――複業という働き方の魅力を教えてください。

複業は、会社の枠を超えて自分のやりたいこと、貢献できることで選ぶ働き方です。会社という小さい世界ではなく、複業を通じて新しい環境で、新しい仕事をすると、視界が晴れるような気がします。また、本来やりたかったことに複業で関わることで、人生の豊かさの総量が最大化されるはずです。私も、壱岐でまちづくりをしていると言うだけで、話がふくらみ、私は何ができる人間なのか知ってもらえる機会が増えてきました。これは、キャリアの選択肢をも広げています。

一方、複業は仕事であるため、責任が伴います。しかし、時間を投資することで成長し、本業で活きてくるという循環が、代えがたい価値だと思います。

以前、私が経営大学院に入学をした際も多様な人材に出会い、衝撃や刺激を受けたことがあります。しかし、複業はそれと似ていながら、さらに刺激的でした。なぜなら、インプットではなく、アウトプットがメインであり、期待と責任というリスクを追いながら、自分のスキルを活かし、課題を解決していくプロセスが必要になるからです。これこそが複業の魅力であり、新たな自分との出会い（＝成長）につながると思います。

複業は、まだまだハードルが高い働き方だと思っている人が多いようです。私も複業をはじめる前はそう思っていましたが、実際に飛び込んでみると、全くそうではありませんでした。意外に思われる方も多いと思いますが、私がそうであったように、企業で日々業務に向き合っている人で、複業に少しでも興味のある人は、おそらくほとんどの確率で、何らかのスキルが通用します。

自分のやりたいことに挑戦ができ、本業にも活かせる、さらには、思考の拡張にもつながる、というように、マイナスがないのが複業です。

第4章

複業で欠かせない究極のコミュニケーション

本章では、複業で活躍するために必要不可欠な「**コミュニケーション」の方法**について説明します。複業では、素晴らしいスキルや実績を保有していても、コミュニケーションの重要性を理解していない人はなかなか活躍することができません。

複業は転職とは違い、即戦力としていきなり仕事を任され、プロジェクトに参加することが多いため、入社時研修などの受け入れ期間が短い、もしくは、必要最低限しか存在しないケースがほとんどです。

そもそも即戦力とは何か、文字通り「**いますぐにでも戦力になれる能力**」という意味です。ビジネスにおける戦力とは大きく2つに分けられます。

1つ目は、求められるスキルや経験を有し成果を出せるかという実行力（エグゼキューション）です。そして2つ目は、組織の成果を最大化するために、気持ちの良いやり取りを日々円滑に行い、周囲を巻き込み、人を動かす力（コミュニケーション）です。

いくら実行力があり率先して突き進む開拓力を持っていたとしても、周囲と協力して業務を遂行できなければ、組織の力で成果を最大化する会社というコミュニティにおいては浮いてしまいます。

逆に、いくらメンバーとの付き合い方が上手く、コミュニケーション能力が高かったとしても、肝心な業務遂行のスキルや経験が不足していると、言動に成果が伴っていない人だと思われてしまいます。

もちろん、それぞれ求められている役割の中で目的や意図をもって片方の能力に特化しているケースもあるかもしれません。しかし、エグゼキューションとコミュニケーションの二つの戦力としての要素を兼ね備えておいて、損をすることは絶対にありません。

複業においては、求める成果を出すための実行力を有していることが前提で採用される一方、コミュニケーション能力は実際に参画した後にお披露目することになります。複業先での評価が左右されるコミュニケーション能力は絶対に軽視してはいけない、欠かせない能力です。

劇的に変容したコミュニケーション方法

現代はオンラインとオフラインを組み合わせ、有効的に活用するハイブリッドな働き方となりました。

仕事の様式が変われば、コミュニケーション様式も変化します。つまり、これまで上手くいっていたコミュニケーションは通用しなくなったと言っても過言ではありません。

例えば、リモートで複業として参画する場合、対面で気軽に雑談をすることはできず、上司や部下の様子を肌で感じながらコミュニケーションを取ることも難しくなります。実際、リモートワークにおいて、「意思疎通」に課題を感じている人は多いのではないでしょうか。

メンバーが全員出社する働き方では、対面で相手の表情や忙しさなどから、話しかけて良いタイミングなのか読み取り、どんな言葉をかければ良いのか、どんなテンションが良いのか、など相手に合わせてコミュニケーションを取ることが一般的だったと思います。

日々無意識のうちに習得していたコミュニケーションの中でも重要な能力である、**キャリブレーションスキル**（相手の顔色・表情・姿勢などの非言語情報から感情を読み取る能力）も発動させる機会が減少しつつある、ということは認識しておくべき事実です。

本業でも複業でも当たり前のように対面で行われてきた日常会話である「ちょっと今いいですか？」「一瞬相談してもいいですか？」という会話は影を潜めていきました。

しかし、リモートワークが可能になった環境下においては、これまでのコミュニケーシ

即戦力とは

「いますぐにでも戦力になれる能力」

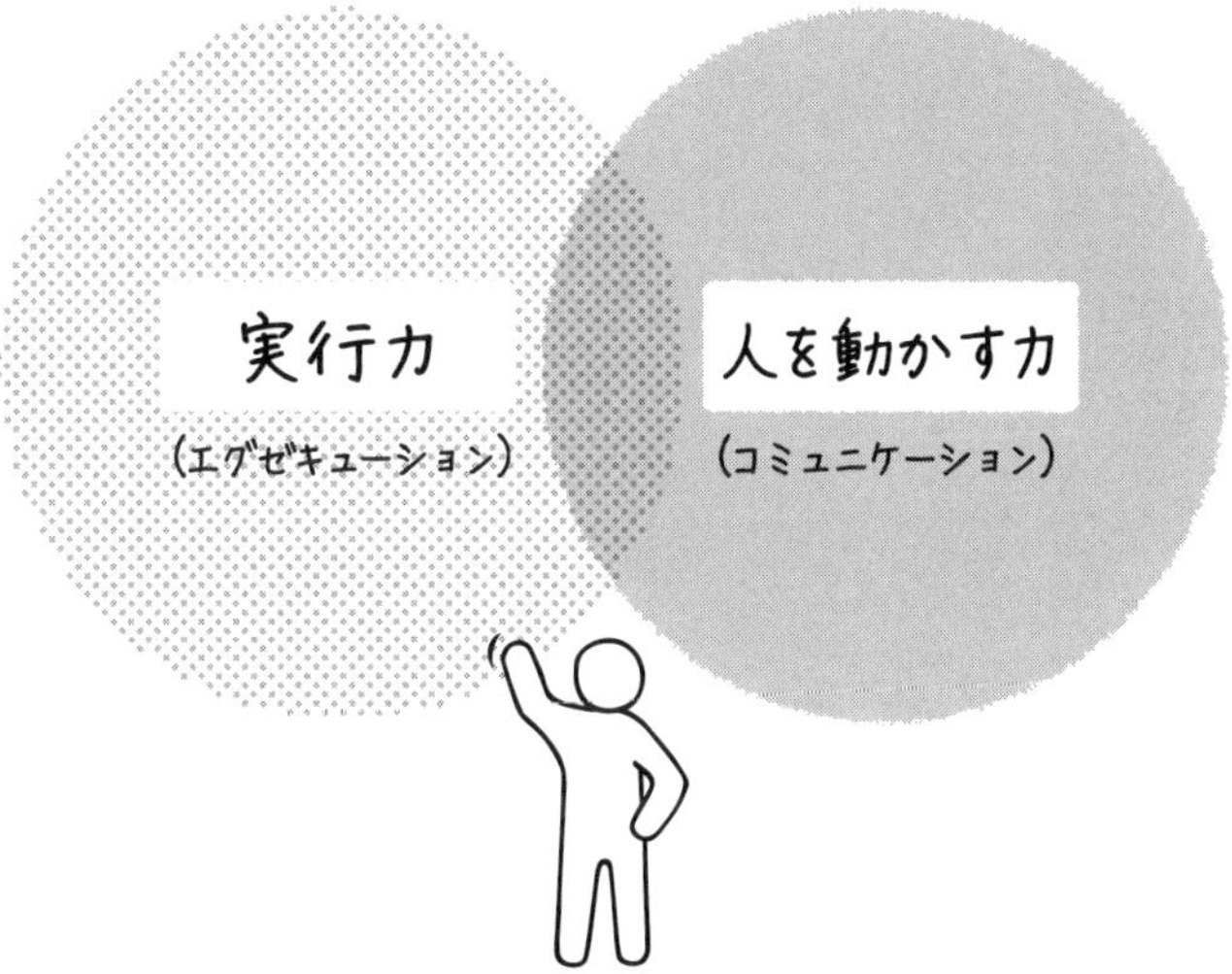

ョンの常識が常識ではなくなり、場合によっては非常識となりました。

では、いまの時代に求められるコミュニケーションスキルとは何なのか。それは間違いなく**「テキストコミュニケーションスキル」**です。

これまでビジネスを行う上で重要だった非言語情報から「表情」や「空気」を読むキャリブレーションスキルよりも、メールやチャットの言語情報（テキスト情報）から相手の状況や意図を読み取るスキルが重要になってきた、というビジネスコミュニケーションにおける大きなピボット（方向転換）が起きているのです。

言語情報を読み取るだけでなく、自分の考えを述べたり、人を動かすための依頼をしたり、ときには組織のメンバーのモチベーションを上げたりすることも、テキストのコミュニケーションで行うという想定もすべきでしょう。

この「テキストコミュニケーションスキル」は、発信側・受け取り手側双方に必要なスキルです。

例えば、あなたが発信側に立ち、複業をする中でチームメンバーにチャット上で仕事の依頼をするとき、対面での非言語情報を代替するレベルで発信の背景や意図、目的、あなたの本気度（感情）を伝える必要があります。「！」などの感嘆符の有無で受け取り手側の感情が左右されることもあるでしょう。句読点がないと「怒っているのかな？」という不安を受け取り手側に与えてしまう可能性もあります。

テキストコミュニケーションで重要なことは、相手の中で発生する感情は、その人自身にすべて委ねられている、ということです。

どんな発言であれ、その発言の受け取り手がどう感じるか、が重要です。顔が見えないテキストコミュニケーションでは誤解なくメッセージを伝える難易度はますます高くなっています。

すでにテキストコミュニケーションで苦労した人や失敗した人などは辟易しているかもしれません。しかしこれは、複業をするにあたり絶対に避けては通れない、身につけておくべきスキルです。

逆に、あなたが受け取り手側になった際にも「テキストコミュニケーションスキル」が重要です。

例えば、複業先で業務担当者からメールやチャットなどで依頼を受けた場面を想像してください。**相手の表情や口調などの非言語情報の代わりに、しっかりと言語情報から相手の意図や発言背景を読み取る必要があるでしょう。**まるで受験国語の「筆者の感情」を読み取るような感覚です。

テキストコミュニケーションにより、離れていても意思疎通を取ることができる便利な世の中になった一方で、今まで阿吽の呼吸で実現できていたコミュニケーションがより難しくなるという側面を併せ持っています。

いかにテキストで相手の「感情」と「行動」を読み取り、自らの意思を伝えることができるか。コミュニケーションが変化する時代になったからこそ、「テキストコミュニケーションスキル」はこれから複業をはじめる上で、必須のスキルになるでしょう。

複業で「できる人」だと思われる4つのコミュニケーション

テキストコミュニケーションスキルの重要性を理解した次は、複業においてより実践的なコミュニケーションのポイントをお伝えします。複業の目的や職種、スキルに関係なく、複業先とより良い関係性を早期に構築するために、すべての皆様に参考にしていただければ幸いです。

1　レスポンスの「速度」と「時間」

複業で「できる」と思われるコミュニケーションのポイントの1つは、複業でのレスポンスルールを決めることです。レスポンスとはメールやチャットでの返信などの何かしらの反応を指します。**レスポンスにおいて重要なポイントは速度と時間です。**

まず速度についてです。「レスが早い」という言葉があるように、レスポンスが早い人はビジネスにおいて一目置かれます。しかし、ただ返信が早ければいい、というわけではなく、内容ももちろん重要です。複業においてのレスポンスの早さで意識すべきポイントとしては「確認をしている」「理解している」という意思表示の早さを上げることです。

時間があるときは、複業先からの依頼内容を確認し、作業をして対応し、自分の考えを伝えることもできます。

しかし、本業やプライベートの時間など、対応が難しい状況も大いに想定されます。そこで重要なことは、連絡に対して、確認したという事実やいつまでに対応するかという目安を伝えるレスポンスをすることです。

イメージが湧くようによくある具体例を出します。複業先から、「○○さん、クライアントに渡す予定の提案資料について、アイデアをください」という連絡がきたとします。そのときにどのようなレスポンスをしますか？

もちろん、その時間が複業時間割で確保している時間帯ですぐに対応できる場合は対応しましょう。しかし、プライベートの時間帯のときはどうでしょうか？

正解は、連絡を受領したらなるべく早めに「ご連絡ありがとうございます。内容を確認して明日の午前中に改めて返信します。もし期限などあればお申し付けください」などという返信をすることです。

ポイントは、まずメッセージを受け取ったことに対する返信をし、期日を自ら決めて改めて正式に返答をする旨を伝えている点です。これを実践するだけできっと「レスが早い」という印象を複業先に与えることができます。

そして、レスポンスの時間について説明です。レスポンスは早い遅いで判断されがちですが、複業においてはレスポンスをする「時間」という要素も重要になります。

当然のことではありますが、本業の時間帯に複業をすることは絶対にしてはいけません。そもそものルール違反です。複業時間割を設定した意味もなくなります。

しかし、本業の時間帯に複業先から連絡が来る可能性ももちろんビジネスの習慣に鑑みるとあると思います。そうならないように、予め複業先にも遠慮せず自分の複業時間割ならびにレスポンスができる時間帯を伝えることが、後のトラブルや期待値とのギャップにつながるリスクの軽減につながるでしょう。**早いレスポンスを前提に、レスポンスができる時間を複業先に事前に伝えておくことが重要だといえます。**

2　断る勇気を持つ

複業をはじめた後、実際の業務をする中で、当初想定できなかった業務が発生する可能性はゼロではありません。

それはポジティブな側面もネガティブな側面もあります。例えば、あなたの業務遂行能力が非常に高く、コミュニケーション能力も評価されたとします。その話が他部署にも広がり、複業の金銭報酬の単価を上げる代わりに他部署の業務も任せたい、とオファーが来るケースは往々にしてあります。もちろん自身のキャパシティに余裕があれば引き受けるのも良いでしょう。

ネガティブな例は、単価がアップすることもなく、気付いたら業務依頼が増え、断りきれずに仕事を受け持ってしまう、というケースも想定されます。

このようなケースに直面したら、どうすればいいでしょうか。シンプルです。**それは断る勇気を持つことです。**

できないこと、不安なこと、自信がないことは素直に断ることも立派なコミュニケーションです。無理に受けてしまうことで自分に過度なプレッシャーをかけてしまい、結果的にパフォーマンスが低下してしまったら本末転倒です。複業の目的や目標、時間割を決めた意味もありません。

自分の本心に逆らってまで「いい人」になる必要はありません。いい人はいい人でも、「仕事のできる『いい人』」と「都合の『いい人』」は全く別物です。難しいことは複業でもしっかりと断る勇気を持ちましょう。

3 状況に応じてアラートを出す

複業をはじめるときに想定できないことはまだあります。

例えば、本業が想像以上に忙しくなったり、部署異動や転職などで本業の状況が大幅に変化したり、家庭の事情で実家に長期間帰ることになったり、プライベートで1ヶ月旅行にいくことになったり、など挙げるとキリがありません。そのようなときに、状況に応じて早めに複業先と対応についてコミュニケーションを取れるかが、非常に重要になります。

本業やプライベートで環境が大きく変わる可能性が出てきたらすぐにアラートを出しましょう。状況が変わってから様子を見て、という考えは危険です。

複業の時間割すら変わる可能性もあり、最悪の場合、せっかく出会った複業先に迷惑がかかることもあるでしょう。そもそも人間は環境に左右されやすい生き物であり、新環境に適応するまでには時間がかかります。変化した環境に馴染めないまま複業に精を出すのは正しい複業の在り方ではありません。

些細なことでも良いのでアラートを早めに出し、最悪のケースを想定したコミュニケーションを複業先と取ることをオススメします。本業が忙しくなり、複業の時間が取れずにプロジェクト中に突然契約を終了する、といったケースは最悪です。場合によっては契約違反で損害賠償を請求されることもあります。

自分の身を守るためにもアラートは早く出すに越したことはありません。 また、そのようなアラートを遠慮なく出すことができるように、日々の何気ないコミュニケーションを大切にしましょう。信頼は日々のコミュニケーションと実績の積み重ねですが、壊れるのは一瞬です。

4　1on1を依頼する

最後になりますが、1on1を複業であっても定期的に実施することをオススメしています。

1on1という言葉は最近一般的なものになりましたが、1対1の面談のことです。本業で上司や部下と実施した経験はあると思います。複業メンバーだからといって1on1を依頼してはいけないことはありません。月に1回を目安に依頼し、実施してみましょう。

1on1で話す内容は状況に応じて変わってきます。業務内容や担当プロジェクトなどについて話すこともあるでしょう。私が推奨するのは、あなたの複業の目的を複業先に共有し、今の業務や報酬（金銭／非金銭報酬）が目的に合っているかをチューニングする時間として使うという方法です。

複業の目的から逆算して、今の複業での業務内容やミッションが目的から逸脱していないか、金額は最適か、非金銭報酬であれば求めるスキルや経験、得たい感情に十分にアプローチする業務ができているか、など腹を割って話すことが大切です。

なかなか最初は腹を割って話しづらいかもしれませんが、目的に合っていない複業を続けたところで、あなたにとっては時間の無駄です。しっかりと目的や意見を伝えることでチューニングをしていきましょう。改善されない場合は、厳しい考えですが、他の複業先を探すことも選択肢として持っておくべきだと思います。

そして、②や③で断る勇気と状況に応じたアラートの大切さをお伝えしましたが、これらを1on1の中で伝えることもオススメします。

テキストだとどうしても変に気を遣って長文になり、何を伝えたいのか分からない文章になる傾向があります。また、簡易的に伝えてしまうと相手によっては「淡白な人だ」「失礼だ」と思われるかもしれません。

情報から得る感情はどこまでいっても受け取り手がすべてです。**複業というかかわり方だからこそ1 on 1などで直接伝えましょう。** その方が熱意や深刻さなどあなたの発言の裏にある大切な背景が相手に伝わります。

複業人材を受け入れる企業が増えたことから、正社員と複業人材のハイブリッドな組織も近年増えてきています。

私の運営する株式会社Another worksも創業期から正社員と複業メンバーのハイブリッドな組織で事業を拡大していきました。現在も多くの複業メンバーに助けられています。企業もこれからの時代は、正社員と複業人材を分けることなく、1つの会社の仲間としてコミュニケーションをとっていくことが重要になっていきます。あなたが素敵な会社に巡り会えることを祈っています。

スキルや実績を基に成果にコミットすることは大切ですが、日々のコミュニケーションや有事の際のコミュニケーションに難があると、すべてが台無しになってしまいます。ぜひ4つのコミュニケーションを意識して複業に挑戦してみてください。

複業で「できる人」だと思われる4つのコミュニケーション

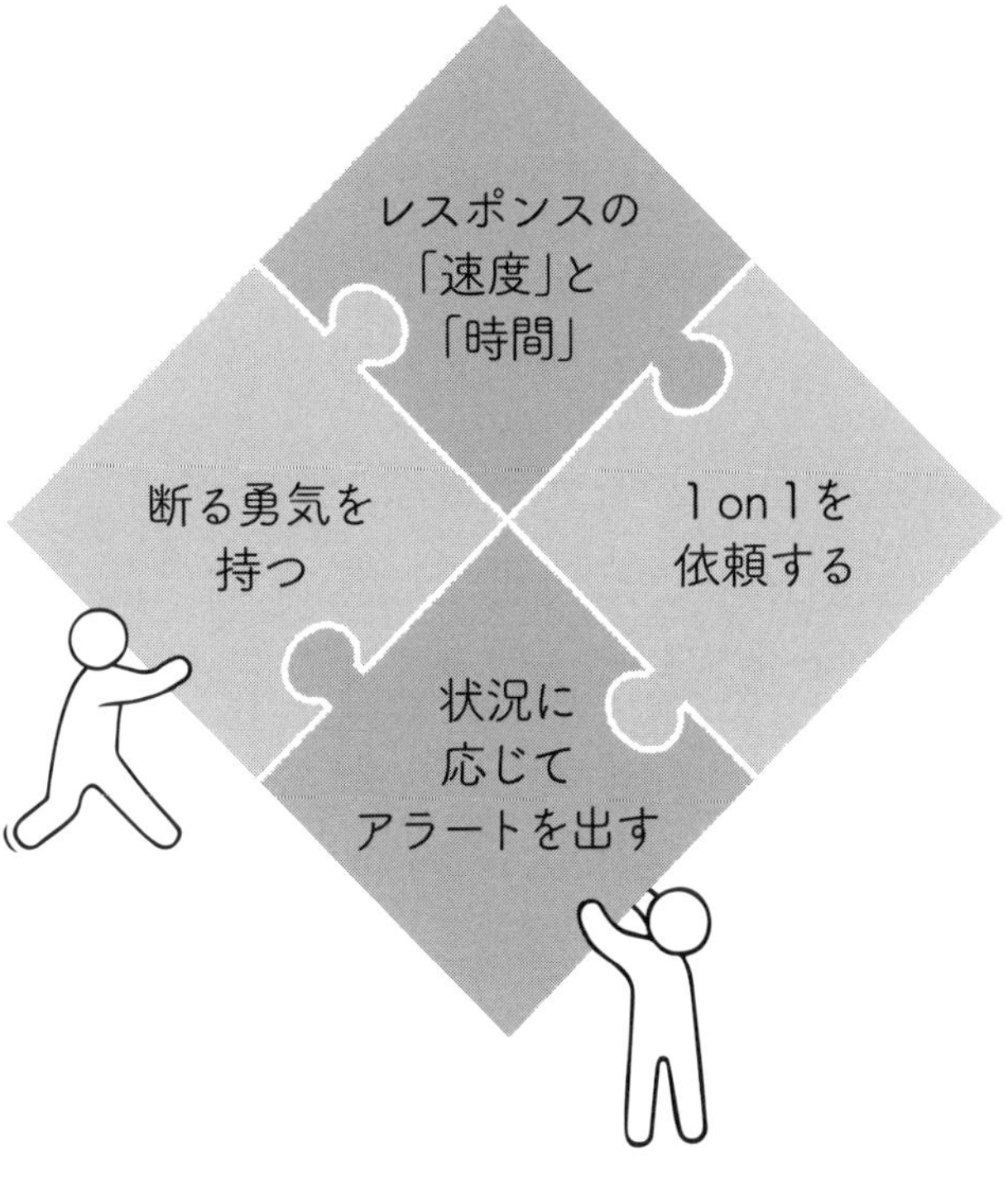

第5章

複業からはじまる次の挑戦

複業は新しい自分と出会う旅

本書では複業をはじめるために、そして活躍するために、大切なことをお伝えしてきました。

複業とは、これまでの終身雇用前提の社会における働き方とは全く異なり、第2、第3の仕事における居場所を持ち、そして新しい自分と出会う旅のようなものです。目的とあなたの行動次第で理想のキャリア構築や自己実現につながる人生設計の方法です。

新型コロナウイルスの蔓延を契機にパンデミックが起こり、日本は多くの変化を余儀なくされ、働き方や個人のキャリア構築方法が前提から覆された新時代に突入しました。

また、今まで社内の人事異動やキャリア採用のみに頼っていた人事戦略から、**積極的に複業人材やフリーランスなどの外部人材を社内の「ジョブ」に登用する方針を打ち出す企業も増えてきました**。このような時代背景から、複業という働き方に興味を持ち、本書に辿り着いた方も多くいるのではないかと推察します。

複業という働き方は今の日本において非常に注目されており、これから文化になっていくと断言できます。そこには複業を取り巻く大きな要因があります。それは、少子高齢化による労働力人口の減少と働き方の変革です。大きな時代の流れを把握しておくことで、あなたがこれからはじめようとしている複業がいかに今の時代に即し、未来に向けた「投資」であるかということを認識することができます。

むしろ、複業をはじめない理由がないと思うほどに時代は大きく変わってきています。

少子高齢化による労働力人口の減少

少子高齢化や労働力人口の減少、というワードはニュースなどで目や耳に触れることが増えています。これらのキーワードが、複業の必要性を呼び起こしています。

現代の日本の人口比率をご存じでしょうか。人口減少においては15年連続の自然減少（住居の移動による人口の増減を除いた人口の減少。死亡数から出生数を減じた数）となり、減少幅は拡大、断続的に人口が減り続けているのです。

また、人口比率においては、約60年前、人口全体の約70％を占めていた生産年齢人口（15歳～64歳）は今や60％に満たない比率となっています。その逆に、65歳以上人口は年々着実に増え続けているのです。１９６５年と２０２２年の人口比率を見比べるとその差は歴然です（5・6）。

そのような状況下でも我々は前を向いて生きていかなければなりません。

ＩＴやスマートフォンの普及により世界は以前より段違いに便利になりました。生産性や効率化も進んでいます。しかし、企業運営のためには人材が必要です。言葉を変換すると、労働力を確保し続ける必要があります。そのためには、日本は労働市場において流動性の高い国を目指す必要があります。これからさらに複業人材を受け入れる企業や自治体などの団体は増えることでしょう。

あなたの貴重なスキルや経験、言葉を置き換えると「労働力」は本業のみで完結してよいのでしょうか。

今の時代は、日本における大複業時代が到来する直前です。今から複業をはじめ、本業と複業のバランス感覚やどこでも通用する再現性のある汎用的な経験・スキルを身につけておくことで、市場価値を高めましょう。

組織の在り方を変えたオンライン化

今までの常識を非常識へ、非常識を常識へと新型コロナウイルスが変えていきました。新型コロナウイルスは多大なる被害をもたらした忌々しい災厄ではありますが、働き方においては皮肉にも日本全国のＤＸを加速させました。

人口比率の比較
（1965年と2022年）

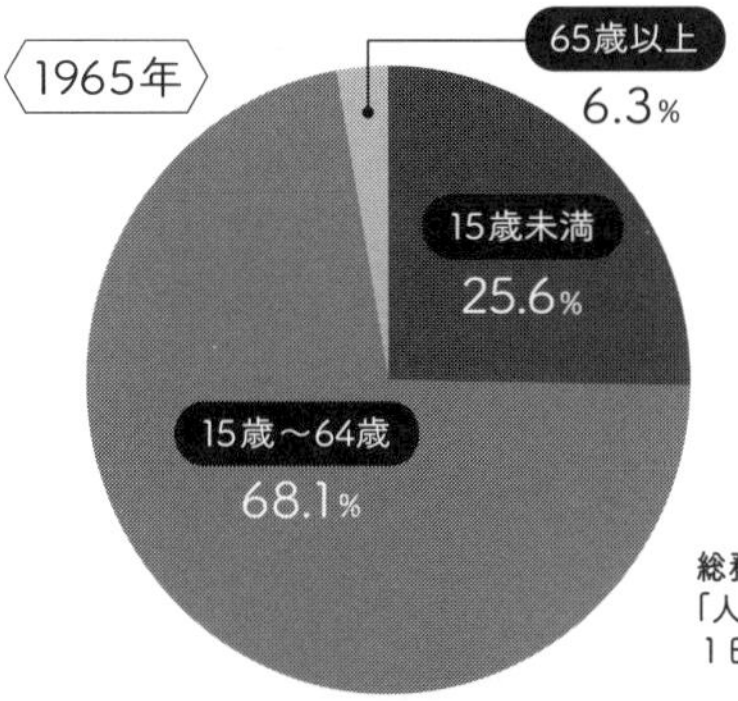

総務省、「国勢調査」及び「人口推計」1965年10月1日現在より作成

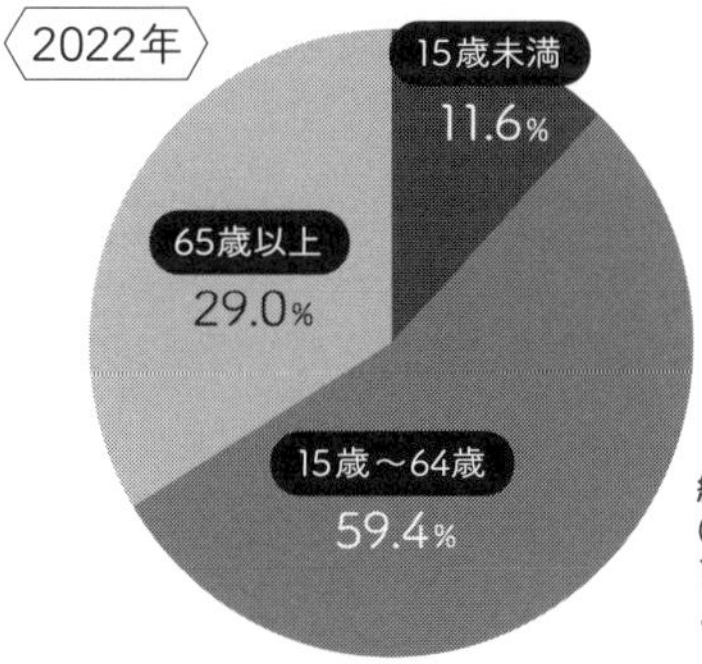

総務省統計局、人口推計（2022年12月報）令和4年12月1日現在（概算値）より作成

約60年前は人口全体の約70%を占めていた
生産年齢人口は今や60%を満たない。
その逆に、65歳以上人口は年々増え続けている

従来は、当たり前のように電車で通勤し、対面でクライアントとの商談や長距離の出張を実施するなどというように「移動」に多くの時間を費やしてきました。しかし、今やそんな時代が懐かしいと思えるほどに常識が変わりました。

リモートワークやオンラインミーティングという選択肢が生まれ、仕事においての「移動」が少なくなり、働く場所さえ選ばなくなりました。企業によってはフルリモート体制を整えていたり、莫大な固定費がかかっていた本社を無くし、最低限の人数が集まれるオフィスに移転してリモート前提の営業体制にしたりするなど、組織の在り方さえ変わりました。

自然豊かな地方に「テレワーク移住」し、オンラインで業務をし、複業もオンラインですることで金銭的なリスクヘッジをし、スキルアップや地方貢献を目的とした複業で幸福度の高い生活を送る、という暮らしを実現したいなど、描いていた**それぞれのライフワークの理想像を再定義している人**も多いのではないでしょうか。

実際にこれらの働き方の変革により、地方企業で複業をする（できるようになった）人が増えています。

今まで地方企業が都心の優秀な人材を採用することは物理的な距離の問題でそもそも検討の俎上にすら乗せられず、また逆も然り、都心の優秀な人材が地方で働くことは「移住」という大きな環境変化を伴うことがあった一方、テレワーク環境下において日本全土が「採用圏」になったのです。

例えば、従来のケースでは、地方企業が優秀なWEBエンジニアを採用する際、その地方の中で人材を探し、必要とするスキルを有しているか、そして自社のカルチャーやプロダクトの思想にマッチしているか、条件面が問題ないかなどの要件が揃う人材を探していました。人口減少かつ人材難である現代において全要件とマッチする人材と出会うことはほぼ奇跡と思った方が良いでしょう。

しかし、オンラインで面談し、オンラインで採用し、オンラインで業務を依頼することが可能になった今、居住地にこだわって採用する必要も無くなってきたのです。地方企業は全国に採用ターゲットを拡大し、必要な期間、必要なタイミングで、必要なスキルを持つ人材を複業という形態で自社の仲間にすることが可能になったのです。

都心で複業先を探していた人も複業候補先が全国に広がったことにより、マッチングプラットフォームなどを活用して地方の企業や自治体などとマッチングすることが可能になりました。人材の流動化が一気に進んでいるのです。

企業への複業はもちろん、地方自治体やスポーツチームなどに複業として参画する人も増加しています。今まで複業人材の採用などを考えてこなかった地方自治体などが積極的に人材公募を開始するようになったのです。未曾有の事態への急速なデジタル化への対応として専門家の存在が必要だとマインドチェンジを余儀なくされたことも1つの理由ですが、そもそも複業人材をオンライン複業という手段で登用することができる世の中になったことが一番の要因でしょう。

企業だけでなく多くの団体で複業の受け入れがはじまったことで、もともと地方創生に興味があったけれども日々の仕事に忙殺されていた人、物理的な距離で諦めていた人が、平日の可処分時間や休日を活用して地方自治体の複業案件に挑戦することができたり、スポーツクラブ運営に興味がある人が、オンラインでスポーツチームのSNS運用や広報支援に複業としてアドバイスをしたりすることができるようになりました。

このように、今や「やりたかったこと」が「できること」に変わり、複業という手段によって何にでも挑戦できる時代になりました。または、自己実現のための選択肢が最大化されたともいえます。

挑戦において誰しもやらない理由を探すのは簡単です。だからこそ、できる理由を探し、理想の人生を描くためにぜひ挑戦し続けてほしいです。

これからの合言葉は「まずは複業で」

複業と転職は非常に相性が良く、掛け合わせてキャリアを考えることをオススメします。転職をした経験のある人の多くは転職先の環境に馴染めるか、自分のスキルがマッチするか、など不安を抱えながら緊張の面持ちで初日を迎えたことがあると思います。

人間誰しも新しい環境に飛び込むのは不安があって当然です。その不安や心配が杞憂であれば良いものの、入社しても職場に馴染めず孤独を感じたり、オンラインで会社の雰囲気に馴染めなかったり、助けを求めることができなかったり、など想定されるケースは多々あります。

それが原因でパフォーマンスが出せず、早期離職につながってしまうと、一念発起して転職した意味が全くありません。転職を「一か八かの賭け」にしないためにも「複業転職」という方法をオススメします。

「複業転職」とは、複業という形で企業に関わりながら、徐々に複業から正社員へ移行していく考え方です。最初から転職ありきで**「まずは複業で」**という流れでお試し入社をするというケースや、当初は転職を考えていなかったけれども複業を通じて入社の思いが強くなり転職をするというケースもあります。

双方ともに、まずは複業で参画することで、企業カルチャーや環境、経営者やチームメンバーとの相性をフラットな立場で見ることができ、正社員として入社した後のミスマッチを軽減することができます。学生時代に、部活動に正式に入る前に仮入部で数回練習に参加してから入部を決めたときの感覚に近いでしょう。

「こんなはずじゃなかった」という転職を防ぐためにも、複業転職は選択肢に入れておいて損はありません。

また、ハードルが高い傾向にある**異業種・異職種転職（キャリアチェンジ）**においても複業転職が効いてきます。

長いキャリアの人生において、今やっていることが本当にやりたい業種・職種なのか、自分に向いている仕事は他にもあるのではないか、などの悩みは発生してきます。営業職の人が人事職を志望したり、事務職の人がエンジニア職を志望したりといった、異職種への転職需要は近年高まっているものの、まだまだ少ないのが現状です。

また、仮に未経験で晴れて異職種転職できたとしても、やってみて自分に向いていない職種だと後から分かった場合は元も子もありません。

そこで重要なことは「まずは複業」という考え方です。複業で興味のある未経験職種に非金銭報酬（スキル報酬、キャリア報酬、感情報酬）を目的にチャレンジして、仕事内容や働き方のイメージに齟齬がないかを確認することで、異職種に転職した場合のキャリアプランをより解像度高くイメージすることができます。

まずは複業で向き不向きや自分の好きな仕事か、自分を成長させられるか、を確認し、さらに、複業で実務経験やアピールできる実績を積むことで、経験者として転職もしやすくなるでしょう。

自身のキャリアチェンジを考え、一歩踏み出したいという人には「複業」が明確なファーストステップとなるでしょう。

「複業起業」という選択肢

複業と起業も非常に相性の良い組み合わせです。起業を考えている際はぜひとも選択肢の1つに入れていただきたい考え方です。これを私は「複業起業」と呼んでいます。「複業起業」とは、本業の会社に所属をしながら複業として起業（もしくは法人設立準備期間として活動）し、滑らかに移行する起業方法です。

起業をする前に、まずは複業で腕試しをし、起業後すぐに利益が出るように初期クライアントを獲得するケースや、資本金など起業資金を得るための金銭報酬を目的とした複業だけでなく、「キャリア報酬」を目的に複業で起業経験を学ぶことも不可能ではありません。

もちろん、本業で新規事業の立ち上げや子会社の設立などを経験すれば、ノウハウは得ることができます。しかし余程タイミングと運が良くない限り、そのための異動が叶うことは難しい印象です。

私の経験上、起業準備は起業経験のある経営者の近くで働きながら学ぶことが圧倒的に成功の近道になります。もしあなたが起業を考えているのであれば複業で経営者に近い距離感で一緒に働ける（オンラインでも常に仕事の連絡が取れる状態である）環境を選びましょう。その複業で得られる経験はきっと、起業をしたときにあなたの武器になります。また、複業を通じて、新しい発見や社会課題に気付いて使命感を持って起業する形もあるでしょう。「複業起業」は、複業を起業の「滑走路」としてイメージすると良いと思います。

起業というキャリア形成において複業はこれから1つの選択肢になるでしょう。

私も経営者として起業してからさまざまなことを経験する中で**「資金」「事業」「人材」の3つ**が起業初期の事業の成功の重要な要素になると考えています。「言うは易く行うは難し」、この要素が起業初期に三拍子揃うことは非常に困難です。決して誰かが用意してくれるわけではなく、全て経営者が掻き集める必要があるからです。

特に「資金」に関しては資金調達手法こそ近年は多様化しているものの、米国に比べるとVC（ベンチャーキャピタル）マネーや個人投資家（エンジェル）マネーは全く流通していないのが現実です。

いきなり起業をすることで退路を断つということも重要ですが、断つ必要の無い退路も存在します。**起業は生半可な覚悟で成功するものではありません。**起業家も1人の人間です。心が折れてしまったら元も子もありません。その点で、複業起業は戻る場所（本業）があるという心理的（または金銭的）安全性を担保しながら起業準備（資金用意、事業構想、人材集め）にコミットできることから立ち上げの初期には非常にオススメです。

「複業」は人の挑戦機会を最大化することができる生き方そのものです。一念発起して会社を辞めて起業するという選択肢の他に、起業ハードルを下げ、初期の成功確率を上げる「滑走路」として複業起業があると頭に入れておきましょう。

複業は「挑戦するすべての人の機会」を最大化する

人口減少や働き方の変革によって我々の生活やビジネス習慣は日々変化をしています。未来を予知することはできませんが、自分の手で掴みにいくことはできます。自らビジネスを興して未来を創ることもできます。いきなり挑戦することが不安であれば、複業を通じてリスクを抑えながら挑戦することも1つの立派な選択肢です。

複業の一番のメリットは、何かに挑戦したいときに大きく環境を変えることなくチャレンジできることです。理想のキャリア・未来は挑戦なくして楽に手に入るものではありません。複業という手段であなたの人生における挑戦の機会を最大化していきましょう。

複業は未来を掴むための旅であり、旅のチケットの入手方法もすでにあなたにはお伝えしています。旅の始め方、旅のやり方、苦難や乗り越え方も知っています。あとは未来を掴みに1歩踏み出すだけです。進む中で、戸惑うことも、迷い悩むこともあると思います。

そんなときはぜひ本書を読み返し、第1章の複業という旅の目的の確認からやり直してみてください。あなたが少しでも理想の人生に近づき、複業を通じて人生が豊かになるよう、心から応援をしています。

おわりに　「複業」にかける覚悟と想い

２０１９年5月、私は株式会社 Another works という会社を設立しました。複業という日本の未来の働き方を社会実装すべく「複業クラウド」というマッチングプラットフォームを運営しています。なぜ私が複業を世の中の当たり前にしていきたいのか。どうしても読者の皆様にお伝えしたく、少しお付き合いください。

私は九州・大分県で生まれ育ちました。父が会社経営をしているため、学生時代から「会社」「経営者」「社員」という関係性を身近で見てきたことで、会社経営や労使関係に興味を持ちました。大学で見識を深め、会社経営に触れてみたいと思い上京し、早稲田大学の法学部で労働法を主に学びながら設立すぐのスタートアップ企業で学生インターンに勤しみ、大学生活を過ごしていました。

その後は、２０１５年に大手人材企業であるパソナグループに新卒で入社し、顧問やフリーランスなど正社員ではなく業務委託という形で仕事を探す方々の人材紹介事業に従事しました。地方企業や資金力がまだ足りていないことから優秀な人材を採用することができない企業にとって、業務委託という形態で仲間になってくれる即戦力人材はまさに救世主となっていったのです。そして、時流も複業がブームになる兆しはありました。

これからは転職や独立など大きく環境を変えることなく、複業という形でさまざまな企業の救世主になる。個人のキャリア形成と企業の経営支援をつなぎ合わせる、そんなサービスを創り、世の中をアップデートしていきたい。まさに大きな時流と私自身の想いがリンクした瞬間でした。

幼少期からの想いと学生時代のインターンシップの経験、そして社会人になってからの仕事を通じて、複業文化の創造を目指すという目的が生まれました。企業は雇用形態に関係なくスキルや想いを持つ人材が1人でも多くいれば、より大きく成長することができ、複業を通じて人材の流動化を図ることによって地方と都心の人材格差を埋めることができる。そう確信したとき、目的が使命感と覚悟に変わり、起業をしました。

一方、故郷の大分県にいる私の友人たちは、東京に憧れをもちながらも地元を離れられない理由がありました。それは、家業の継承や家族、地元愛、仕事関係、といったものです。しかし、「複業」という働き方・企業との関わり方が当たり前になれば、転職や独立など大きく環境を変えることなく今の環境下で挑戦することができます。現在は何かに挑戦したいとき、障壁なく挑戦できる未来を創りたいと思い、「複業クラウド」というサービスを創っています。

本書を執筆した理由も同様です。本書が複業の最初の一歩を踏み出す勇気を与える存在になれたらという一心で筆を執りました。

複業は間違いなく現代を生きる我々にとって挑戦する全ての人の機会を最大化する人生の選択肢になります。その理由は本書で惜しみなく、事例と共にお伝えしたつもりです。しかし、理屈や知識は持っているだけでは全く意味がありません。実際にやってみて、自分なりの答えを見つけてください。あなたの複業からはじまる人生のストーリーはこれからです。本書があなたの素晴らしい人生の一助になれば幸いです。

最後に、これから複業をはじめようと思うあなたに、第1章の「問い」をもう一度。

あなたは、なぜ複業をはじめたいと思っていますか？

複業を通じて何を得たいのか。複業でなければ手に入れることができないものは何か。複業は目的が全てです。複業をはじめる理由と向き合い、周りに流されず、あなただけの複業の目的を持つことができれば著者冥利に尽きます。では、素敵な複業ライフをお過ごしください。

謝辞　関わる全ての人に感謝を

「挑戦する全ての人の機会を最大化する」という会社のミッションを掲げ、複業の社会実装を実現するために株式会社Another worksを起業しました。本書を手に取ってくださった皆様をはじめ、全国各地の複業をはじめたいと思っている人や新しい挑戦をしたいと思う人が、どんな目的でも、どんな環境でも複業に関わることができる未来を創るため、これからさらに事業を大きくして参ります。

「複業クラウド」を信じて、導入してくださった1，000社を超える企業をはじめ、自治体、スポーツチーム、学校現場などまだ受け入れが進んでいない環境にも複業人材の力を届けるべく、私は歩みを止めることなく突き進んでいきます。

本書を書き始めてから出版日を迎えるまでの間に、多くの熱意を持った関係者、素晴らしい仲間に支えていただきました。複業を日本の当たり前にする、という私の大義を信じてくださり、手を差し伸べてくれたことに心から感謝を申し上げます。

本書の編集担当であり私の初めての出版を支えてくださった日本能率協会マネジメントセンターの大塩 大さん、『「会社辞めたい」ループから抜け出そう！』の著者であり退職学の研究家である佐野 創太さん、事例インタビューを快諾いただいた株式会社ガイアックスの流 拓巳さん、ジャパンシナジーシステム株式会社の田中 將太さん、長崎県壱岐市の白川 博一市長、中村 勇貴さん、同市の複業アドバイザーである植本 宰由さん、株式会社Relaysの田ケ原 恵美さん、私の脳内に山積する複業への想いや考えを共に整理してくれたAnother worksの黒田 瑛子さん。

Another worksの仲間たち、塩原 基弘さん、金 司寛さん、中村 俊之さん、鈴木 茂行さん、新井 淳平さん、山下 ありささん、吉川 彰悟さん、神谷 隆仁さん、宮内 北斗さん、川口 麻綾さん、逸見 勇太さん、澤野 遥さん、渡邉 峰丈さん、呉 世鈴さん、西村 祐紀さん、菅原 莉帆さん、南 麻美さん、皆川 世那さん、久保田 晶子さん、松田 智之さん、吉田 菜瑠花さん、藤川 圭太さん、庄司 勇太さん、澤田 なぎささん、神庭 修斗さん、小池 翔さん、藤井 達也さん、岩村 将宜さん、野々山 宅海さん、長崎 立さん、

小田 滉太さん、高岡 慧さん、齊藤 彩萌さん、西森 一矢さん、代田 健登さん、山田 航也さん、山田 明俊さん、齋門 徹平さん、沖田 翔さん、花本 夏貴さん、井上 永理香さん、猿田 悦子さん、長尾 泰河さん、関口 諒佑さん、寺田 直斗さん、上村 綾香さん、聲山 創一さん、荒井 亮さん、佐藤 勇太さんをはじめ全ての仲間たち。

最後になりますが、いつも私の挑戦を支えてくださり心から感謝を申し上げます。本当にありがとうございます。

参考文献

（1）新村出（編）、2001年、『広辞苑第七版（普通版）』
（2）世界保健機関（WHO）、1948年、世界保健機関憲章
（3）厚生労働省、2020年、副業・兼業の促進に関するガイドライン
（4）World Economic Forum、2015年、Outlook on the Global Agenda 2015
（5）総務省、「国勢調査」及び「人口推計」1965年10月1日現在
（6）総務省統計局、人口推計（2022年12月報）令和4年12月1日現在（概算値）

大林尚朝（おおばやし・なおとも）
株式会社 Another works 代表取締役
複業エバンジェリスト。
1992年生まれ、大分県出身。早稲田大学法学部卒業。
2015年、パソナグループ入社。顧問やフリーランスなど業務委託人材紹介の新規事業に従事。年間最優秀賞など多数受賞。2018年、株式会社ビズリーチ（現.ビジョナル株式会社）入社。M&Aプラットフォームの事業立ち上げを行う。
2019年、株式会社 Another works 創業。複業したい個人と企業や自治体を繋ぐ、成功報酬無料の総合型複業マッチングプラットフォーム「複業クラウド」を開発・運営。創業4年で累計1,000社以上が導入、50,000名以上が登録、約70自治体と複業での地域活性に係る連携協定を締結、テレビや新聞など400件以上の掲載実績を誇る。
複業、経営・組織戦略、キャリア構築、地域活性をテーマに発信し、行政や教育機関をはじめ100件以上に登壇、「日本経済新聞」など多数のメディアでも取り上げられている。

スキルマッチング型複業（副業）の実践書

2023年2月9日　初版第1刷発行

著　者――大林 尚朝

発行者――張 士洛
発行所――日本能率協会マネジメントセンター
〒103-6009 東京都中央区日本橋2-7-1　東京日本橋タワー
TEL 03（6362）4339（編集）／03（6362）4558（販売）
FAX 03（3272）8128（編集）／03（3272）8127（販売）
https://www.jmam.co.jp/

装丁・本文デザイン――株式会社aozora
Ｄ　Ｔ　Ｐ――株式会社キャップス
印　刷　所――シナノ書籍印刷株式会社
製　本　所――ナショナル製本協同組合

ISBN 978-4-8005-9082-4　C0034
落丁・乱丁はおとりかえします。
PRINTED IN JAPAN